二十四史俠客資料匯編

龔鵬程
林保淳 編

臺灣學生書局印行

序

龔鵬程

有關俠客的研究以及通俗論述，近百年來可謂汗牛充棟，但簡單地說，可分為兩期：我的《大俠》一書出版前，以及出版後。

在我那冊討論中國俠義傳統的小書出版以前，學界和社會基本上仍沿續著晚清以降之俠客崇拜態度，用民國八十一年淡江大學所辦「俠與中國文化」學術研討會中某位學者的話來說，就是：「俠的文化觀念和心理意識，影響所及，成為社會上尚俠崇武的文化性格。俠的臨危不懼、捨己為人、劫富濟貧、除暴扶弱、殺身取義、替天行道的道德觀念與英勇行為，已成為整個社會文化的一部份，豐富著中國社會的文化內涵。俠義觀念，實際上凝結了歷代中國人對社會人生的價值觀念的思考」。

我們對俠客形相、游俠行為、俠義精神、俠與社會文化之關聯的理解，大體即如上述。大家均是基於這樣的理解來進行俠的討論。彼此雖仍不乏歧異，基調卻是一致的。

但這是我的著作發表以前的見解，或迄今尚未讀過我的書的人所仍殘存的印象。我在《大俠》一書中，具體指出：以上這些對俠的認識，乃是由文學的想像、正義的神話、英雄的崇拜、以及歷史與存在境遇互動詮釋所共同編織而成。正史上的俠卻不是這樣的。

秦漢時的俠，多是活賊匿姦、收納包庇雞鳴狗盜者，或以其豪爽振施來結交賓客，形成政治、經濟、社會勢力，從事各類活動，包括鑄錢、掘冢、剽攻殺伐、藏命作姦、報仇與解仇等。《史記·貨殖列傳》所謂：「其在閭巷少年，攻剽椎埋，劫人作姦，掘冢鑄幣，任俠并兼，借交報仇，篡逐幽隱，不避法禁，走死地如騖，其實皆為財用」者是也。當時論俠客，多用貶辭，司馬遷說游俠「行不軌於正義」，尚且被班固等批評他「序游俠則退處士而進姦雄」，其餘可以想見。馬援出征時，聽見他的侄兒通輕俠客，立刻萬里馳書告誡曰：「不願子孫效也」，正是這個道理。

這樣的俠，到唐朝中葉以後，才逐漸產生分化的現象。一部份承繼了傳統的俠客型態，皆睚殺人，亡命作姦，甚或走向神秘化，成為劍俠；一部份與知識份子結合，士風和俠行相互潤澤，俠的精神乃由原始盲昧之意氣私利，轉而漸開公義理性之塗。以迄於近代，文人意識及文學作品中的俠，即以表現後面這種類型為主。

關於唐朝以後的俠客意識及文士與俠客之關係，我另有〈論清代的俠義小說〉〈俠骨與柔情：論近代知識份子的生命型態〉等文，可補《大俠》一書之未備。但無論如何，該書在俠客研究史上，首次重勘史料，提出歷史解釋之方法論，並對俠義傳統之轉變與發展做了個簡單的勾勒，事實上具有「里程碑」的功用。

當然，我的研究發表後，不能禁止旁人仍用舊說繼續鬼扯；依世人之習慣，新觀念出現後，接受的方式也往往是將新說法與舊思想拼湊調和一下，以免自己受到太大的衝擊。因此，無論是參採我之研究成果與否，此一里程碑尚未形成革命性的影響。

倒是後來林保淳先生賡續探索此一問題，先後發表〈從遊俠、少俠、劍俠到義俠〉〈唐代的劍俠〉等文，檢查史籍文獻，認為漢魏南北朝整個對俠之觀念，大抵皆與韓非相似，但遊俠的分化卻在六朝樂府中已見其端倪，傳統的地痞流氓，加上新興的無賴惡少以迄唐代之劍俠，均為時人所詬病，「義俠」乃生，將俠客導向儒家認可的範疇中，正義的觀念才逐漸突出。

林先生後來並主持了前文所述淡江大學那次研討會，編集出版了《俠與中國文化》一書。深覺整個學界對俠義傳統的理解與研究仍待加強，吾等椎輪大輅者，尚須充實補苴使之精密。故與我相約，編輯廿四史中有關俠客之文獻資料，以便學界參考。

此本書之編輯緣起也。以下謹針對內容略做說明。

廿四史，指《史記》以下，迄於《清史稿》諸史籍。鑒於《漢紀》對俠客問題之重視，故亦一併收錄相關資料。共收三九三則，每則中可能包括若干條，如《史記·貨殖列傳》中即含有四條俠客的記載，以ABCD區別之。因此全書輯得史傳之俠客資料約得千條。《史記》《漢書》《後漢書》《三國志》之注解，因有裨於對「俠客」涵義之了解，也錄存附見。不敢說搜集無遺，但正史中有關俠的紀錄，大約已備載於此。

由這些紀載，我們大體可以發現俠是指一種行為樣式，凡靠著豪氣結交、與共患難的型態，而形成勢力者即可名之為俠。依仗此種權勢，俠乃能「權行州里，力折公侯」「立氣齊、作威福、結私交、以立強於世」。用現代詞彙來說，他們都是「為人四海」「講氣魄」的人物，所以能跟他們的賓客徒眾們同是非、相與信、共衣食酒肉，甚至為了朋友還可以兩肋插刀，輕死重氣，把身體性命借給朋友去報仇。因為他能夠如此，親附者當然是不會少的了。

每位俠用以成就其名望、結交其朋眾之方法，可能不同，如季布和他弟弟季心都是俠，而「季心以勇，布以諾」。又如田叔好劍喜任俠，但為人廉直，焦繼勳為輕俠，則以飲博為務。

其得人之方法頗異，然能結合人眾則一。猶如春申信陵孟嘗平原諸君之氣質行事風格不同，而皆任俠養士，能聚賓客。

其聚合朋眾賓客的基本要件即是「好氣」，其手段則是廣交遊。俠之又稱為遊俠、氣俠、豪俠，原因在此。因為，熟悉中國哲學的人都知道：氣與理是相對的，氣指生命本然原始的血性氣力欲望衝動等等。一時意氣迸發，可以什麼都不顧，俠之豪情，即由此而生。然而盡氣的生命，其本身缺乏理性化，所以不免常流於昏昧，或侵凌孤弱、恣欲自快，或以氣力漁肉閭里、姦略婦女，或持吏短長、權行州郡，或掘冢鑄幣、掠劫行旅。這是生命流於血氣激揚、意氣鼓盪之結果。但氣義所向，生命也可能顯現出「言必信，行必果，已諾必成，不愛其軀，赴士之困阨」「救人於危，振人不贍」之現象，近乎仁義，而為世所稱道。唯此非仁義、非正義，乃是氣義。氣之發舒，偶合於義而已。從社會結構面看，因俠是以其氣慨合其氣類徒眾，各擁賓客、各結私交的，故其救振危殆之行為，往往並非普遍性的，僅限於其私人的交遊圈子。對於這個圈子以內的人，俠可以救施振贍，「見危授命，而濟同類」；圈子以外的，則常是他報仇的對象。因此，它的氣義行為，適巧鞏固了它的私黨性質，反而常破壞了社會公眾的利益，此其所以似正而終於為邪也。漢人對之，基本上採取批判的態度，實非偶然。《後漢書．黨錮傳序》曰：

> 及漢祖仗劍，武夫勃興，憲令寬賒，文禮簡闊，緒餘四豪之烈，人懷凌上之心，輕死重氣，怨惠必讎，令行私庭，權移匹庶，任俠之方成其俗矣。

四豪，即戰國四公子。四公子任俠養士，自成勢力，漢代之俠亦各自形成其集團性力量，對社會公眾權益，產生破壞效果。史書上提到這些人，多使用不好的字眼，如《史記》云「孟嘗君招致天下任俠姦人入薛」「其俗閭里率多暴桀子弟」；說灌夫好任俠，「所與交通，無非豪桀大猾」「宗族賓客為權利，橫於穎川」；又說種代北地，「人民矜懻忮，好氣任俠為姦」。凡此等等，都顯示了俠出於氣，尚未磨治，不中繩墨，終不免於邪姦。歷史上的俠客集團，多成為盜匪強豪，正由於此。

　　此類意氣激揚之人物及生命型態，當時已經常拿來和一種理性化的態度做對比了，例如馬援誡侄書，拿龍伯高和杜李良相較，謂龍氏「敦厚周慎，謙約節儉，廉公有威」，杜氏則「豪俠好義」。學龍氏不成，尚能為謹敕之士，學杜氏卻可能成為天下輕薄子。這種比較，讓我們曉得任俠者為何又或被稱為輕俠，因其為氣之激盪鼓湧，生命不厚重故。《史記》載「鄭衛之俗與趙相類，然近梁魯，微重而矜節。濮上之邑徙野王，野王好氣任俠，衛之風也」「穎川、南陽，夏人之居也。夏人政忠尚朴，猶有先王之遺風。穎川敦愿。秦末世，遷不軌之民於南陽，南陽俗雜好事，業多賈，其任俠，交通穎川」，又謂薛地風俗與鄒魯殊，也都是把任俠、作姦、好氣、生事、交遊拿來與一種敦厚、矜重、有先王或鄒魯儒家教化的生活樣態相對比。此類比較，蓋均具有「理／氣」或「儒／俠」對舉之格局。儒者修身飭行、俠者縱誕無行檢，儒者窮經博厚、俠者揮霍生命原始的才氣血氣，他們在各方面，看來都是對反的，所以俠多少年、儒乃老成人。俠者一旦憬悟，便說是「折節嚴重，修省儒學」「變節好學」（均見《晉書》）「折節好學，遂博覽篇籍」（《魏書》）；儒者不甚守繩尺，則稱之為：「雖崇儒業，而有豪俠氣」（同上）。

在此種理解狀況下，除了像法家那樣，儒與俠它都反對之外，一般史家多是批判俠行，希望轉俠為儒的。凡「長乃折節好古學」「晚而改節敦儒學」者，均能博得讚賞。《世說新語》列有「自新」一門，收錄周處、戴淵折節之事，意義相同。魚豢《魏略》立〈勇俠傳〉更說其所記錄諸人之所以值得稱道，即在於他們「少稱任俠，長遂蹈義」。可見俠之氣義，畢竟不是真義正義。畢竟不被允可。

俠與義合，事在唐朝。李德裕《豪俠論》云古之所謂豪俠，「乃盜賊耳，焉得謂之俠哉？」故提倡一種新的觀念，主張俠應該能兼氣與義，「士之任氣而不知義者，皆可謂之盜矣」。宣稱「義非俠不立，俠非義不成」。這種觀念其實就代表中國人的一種理想：理氣合一、儒俠兼備，多麼完美的人格典型啊！

因為生命的原始血氣，固然含雜了昏昧無知和嗜慾、私利，但它是有風姿有氣力的。生命可以燃燒，財貨可以揮霍，交遊相對，可以毫無法度禮數的修飾遮掩，這裡，便有著舒暢生命的快樂，更有縱放無羈的爽豁，有血性，有力量。這是才性氣力之美，值得欣賞，也常使人嚮往的。雖然放縱此種豪俠性氣，生命終不知將伊於胡底；雖然縱放了自己、滿足了自己，卻常以犧牲他人的生命與權益為代價（例如，被酒殺人）。但在某些時候，人們似乎又渴望來那麼一次放縱。壓抑久了，生命矜重誠愨周慎謙約，彬彬有禮，仁義忠恕慣了，舒揚輕蕩，狂俠一下，豈不是甚為痛快嗎？在某些風痺不知痛癢的時代，俠的行逕，乃竟因此而為人所懷念；在某些詩篇中，俠的風姿與氣力，亦因此而為人所歌頌。賞其美感、感其痛快。

但美感與快感在理性稍予冷卻後，畢竟人們仍將發現那不是人生的坦途或歸宿，人是應超越氣的層次而求禮義之歸的。史家對俠士的批判，便是站在這個人生及社會終極價值的歸極處說話。可是，這些批判抹殺了、遮掩了俠的風姿與氣力，又往往使人悵然若有所失。能不能有一種人，既能輕擲頭顱、快意恩仇，又能知義有節呢？儒行俠風，合為一體，豈非甚休？

李德裕正是在這種情況下，提倡一種新的豪俠觀，其實也就是儒俠合一的義俠。

這種觀念之提出，自有諸多原因，亦不僅李氏一人有此意見而已。唯反映於史籍中者，則是自《宋史·忠義傳》之後，俠士在史書中已不是再單一的負面形象了。一方面，俠仍是「輕薄」「不逞」「亡命」「狹邪無賴」「好鬥輕死」的，一方面又顯示出許多忠義可風的節操。此時論俠，所指便不免模糊了。迄及《元史》，乃將俠的這兩種含意區分開來，分別指涉，例如〈伍速哥傳〉云伍氏「疏財而尚氣，不尚勢利，義之所在，必亟為之，有古俠士風，而居家恂恂，儒者不能過」，〈劉哈剌不花傳〉云劉氏「倜儻好義，有古俠士風」，這不就是李德裕理想中的新型義俠儒俠嗎？但它稱此為有古俠士風。相對於此以新作古的俠，傳統俠行便仍是「武斷鄉曲」的。因此俠遂似乎有了兩種，一是今之俠、一是古之俠。今之俠行為不堪，古之俠節義可風。

《宋史·忠義傳》及《清史稿》的〈忠義傳〉〈孝義傳〉所發揚的，就是此類忠孝節義之俠風。明清小說裡宣傳的，也多是此類俠行，且不乏以忠義俠義為書名者，如《忠義水滸傳》《俠義佳人》《忠烈俠義傳》之類。這些記載，有時是想用一些既有之俠士的事跡來塑造一種理想的、真正的、所謂古俠士的精神風範；有時則不免逕行編造幻構一番。而其用心，多如《仙俠五花劍》所稱：

> 其時宋刻的書卷甚多，那書中也有胡說亂道。講著義俠的事兒，卻是些不明事理的筆墨，竟把頂天立地的大俠，弄得像是做賊做強盜一般，插身多事，打架尋仇，無所不爲，無孽不做。倘使下愚的人看了，只怕漸漸要把一個俠字，與一個賊字、一個盜字，并在一塊，再也分不出來，實於世道人心大有關係（第一回《太玄境群仙高會，軟紅塵五俠尋仇》）。

基於教化的考慮，明清以來，頗有此等刻意塑造的義俠形象。硬說那本來就是盜賊的俠，其事跡悉出古人刻書之誤，屬於胡說亂道；真正的俠，須是頂天立地的。

這也不能怪他們亂來。凡提倡新觀念者，往往謂其新說才是真正的古義，相沿之舊習舊事反而是偏離了正道，不是溺於偽書便是誤於偽學、雜於異端。此乃論史之常例，原不獨在論俠時為然。但如此一來，俠的涵義與指涉遂被變造了，人們都以那種高貴的理想人格來想像俠，認定了俠就是重仁好義、鋤強扶弱、不求報施、主持公道、申張正義、修德行善的英雄。他們擁有儒者所有的德行，更有儒者所沒有的勇氣、決斷與力量，成為比聖賢還高一等的人物。

在這種情形下，我們面對歷史上真正存在的俠，便不免有些侷促不安了。因為那些飛鷹走狗、無孽不做的俠，事實上不能合乎這個理想要求。故而明清以來之論俠者，多有去歷史化的傾向。亦即從認定俠是公義英雄出發，選取文學作品及俠義故事中之片段，賞其美感、感其痛快，並予以美化之解釋，而絕少真正從史傳資料中去觀察歷史上的俠究竟是啥模樣。這事實上，也就是《仙俠五花劍》的態度。

去歷史化以後，論俠者便可任意指認某人為俠，也可替俠另覓儒墨之起源。將本質上已是儒俠的理想俠士，找到它與儒者的歷史淵源聯繫。以致孔子、子路、漆雕氏……都成了俠或俠之老祖宗。

這不是歷史研究，也不是面對歷史的態度。只有重新進入歷史脈絡，理解俠之實相，並觀察歷史上對於俠的觀念如何演變發展，方能真正掌握有關俠的複雜面貌。編輯廿四史中俠客資料，正具有這種意義和功能。我與林保淳先生的研究，深深得益於這樣的方法，故亦不免掬誠獻愚，編錄此書以供各界參考。

參與編輯工作者，還有淡江中研所的陳智聰、羅嵐君、徐雅文諸位。辛苦是不敢說的，只希望這些資料和以上的說明能替大家省些腦力與氣力。

「二十四史俠客資料匯編」編輯緣起及說明

早在十數年前，筆者就讀於大學的時候，由於受到業師吳宏一先生的啟發，就對中國俠客的相關問題，深感興趣，曾試圖去思考、詮釋俠客形象的轉化、俠義小說的意義等命題，但畢竟年輕識淺，總未能有所建樹；其後的碩、博士階段，雖專攻明、清文學理論的範疇，然對此一當年種下的因緣，始終未能忘情，行有餘力，輒參閱相關著作，重理舊緒，斷斷續續寫了幾篇小文短論，由於出於餘暇所為，缺憾自是在所難免，以致部分尚藏於書簏，未敢示人，偶有發表，則是報章上針對武俠小說現況的評述；畢業後，任教於淡江中文系，講授古典小說，因授課之便，遂列俠義小說為其中一環，展開較有系統的研究與教學。

在筆者整個關注俠客問題的過程中，幾位師友的影響力，是必須先提的，吳宏一先生在小說選的課程中，特闢武俠小說一節，講授民初至現代的武俠小說源流，這不但是將武俠小說引領入文學研究的的創舉，也啟開了筆者欲一窺其中堂奧的徑路；龔鵬程先生的《大俠》一書，振葉尋根，力破歷來成說之謬，雖則與筆者心有戚戚焉，然珠玉先欬，且肆論宏偉，對筆者堅持定念，頗有臂助；葉洪生先生廣讀博議，傾半生之力，鑽研近、現代武俠小說，無視於笑罵詆毀，令筆者有吾道不孤之慨，既感且愧。

近年來的研究成果，因個人疏懶及學界尚顯閉鎖的風氣，倒教自己也覺得汗顏，僅僅只有〈從游俠、少俠、劍俠到義俠－中國古代俠義觀念的演變〉、〈唐代的劍俠與道教〉二文而已；另外，則是進行一些目錄性質的工作，初步蒐集了一千三百多部，包括二百多位作家的「臺灣武俠小說目錄」，以及從民國三十八年迄七十一年，臺灣各大報紙刊載的武俠小說目錄四百多部。後者的工作，由於人力、財力的限制，再加上武俠小說流傳面的混亂現況，內容是很不完全的，僅能說是聊盡心力而已；前述的論文，則比較能夠代表筆者個人的一些觀點，由於與編輯本書有相當的關係，在此順道提一提。

近數十年來，學者對中國俠客的研究，基本上是採「以今逆古」的方式，將俠客定位在除暴安良、為民伸冤的層次，肯定了俠客的「義行」及其道德人格。從方法學上來看，這種推論方式的謬誤，一望即知，但學者殊少反省，就是較能追本溯源者，如劉若愚的《中國之俠》，雖然能就《史記．游俠列傳》的基本素描，勾繪出俠客在信念、行事上的特徵，但還是不自覺地傾向於游揚、肯定，忽略了司馬遷之所以創〈游俠列傳〉的意圖。筆者有感於此，在〈從游俠、少俠、劍俠到義俠－中國古代俠義觀念的演變〉一文中，即採「還原」的方式，儘量讓不同時代的資料自己呈顯屬於各個時代的游俠觀念，再分析其轉變的過程及原因。在撰寫的過程中，筆者發現到古今對俠客的觀念，是有相當大的出入的，簡單而言，俠客的形象，從否定到部分接納，到完全肯定，有其極為複雜的過程，其中司馬遷的〈游俠列傳〉、魏晉迄唐的游俠詩、李德裕的〈豪俠論〉、石玉昆的《三俠五義》，是最重要的關鍵；在基本上，此一觀念的轉變過程，強烈的受到文學性描寫的影響，而與實際歷史上的俠客壁壘分明。

筆者此一見解，也許因概括論述，免不了有些缺陷，但自信應是「雖不中亦不遠矣」的。在淡江中文研究所的「小說研究」課程中，筆者以此觀念與同學討論，獲致相當熱烈的反應。為了更能呈顯此一觀念及探明俠義觀念的演變底蘊，筆者深覺有必要作一些資料輯錄的工作。此時，龔鵬程先生在中央大學亦開設了探討同樣主題的課程，在偶然的機會中談起，遂決定共同從事此一工作，由筆者負責收集相關資料，而由龔鵬程先生匯理。資料收集的工作，大部分是由淡江中研所的學生陳智聰、羅嵐君、徐雅文三位同學任其責，他們不但細心謄錄，而且還作了詳細的校對，對筆者幫助甚多。編輯的方式及體例，在此似有必要一說：

㈠內文、卷篇，依武英殿本的《二十四史》及《清史稿》，凡與俠客有關的資料，盡行納入。

㈡為節省篇幅，收錄的資料，我們作了一些必要的刪節和段落取捨，大體上以足以呈顯一個俠客的行跡為原則。

㈢依據歷朝順序，排列各史，各史均依其原有卷次序列，分別冠以條次；如一篇之中有數位俠客，及文氣無法繫聯的部分，再以A、B、C、D分為細目，如第十三條引《史記・貨殖列傳》之文。

㈣為顧及全篇的明析條暢，在若干必要的地方，我們以（）括號作補充說明，如第二十五條，在「賀子敬聲」的賀字前面，補上（公孫），標明其姓。

㈤四史中，《史記》有三家注，《漢書》有顏師古注，《後漢書》有李賢注，《三國志》有裴松之注，凡與俠客相關的注文，亦一體收錄，置於文末，而在文中分別以㈠、㈡、㈢等標出。

(六)《史記》與《漢書》的〈游俠(列)傳〉，是正史中唯一替俠客立傳的，全文照錄，不作任何刪節。

(七)刺客與游俠雖然不同，但相關性極大，為方便比較起見，《史記‧刺客列傳》亦全文轉錄。

(八)荀悅的《漢紀》，雖不在廿五史之列，但其論「三遊」之處，甚可注意，故亦列入，在第三十六條。

(九)《遼史》中無俠客相關資料，故不予列入。

(十)全書的俠客名及與俠客相關的詞條，我們都作了索引的工作，置於書末，以便學者檢示。

基本上，此書已相當詳盡地蒐羅了正史上記載的俠客相關資料，相信對研究中國俠客觀念的學者，會有一些幫助；當然，其中的疏漏缺失，自復不少，尚望學者專家提出指正。至於這些正史上的俠客所代表的意義，以及其與文學性濃厚的俠客之區別，龔鵬程先生別有一序討論，此處就不贅言了。

林保淳 識於淡江中文系

民國八十三年春節

廿四史俠客資料滙編

目　次

《史　記》

〇〇一〈外戚世家〉（卷四九）

竇皇后病，失明。文帝幸邯鄲慎夫人、尹姬，皆毋子。孝文帝崩，孝景帝立，乃封廣國為章武侯。長君前死，封其子彭祖為南皮侯。吳楚反時，竇太后從昆弟子竇嬰，任俠自喜，將兵，以軍功為魏其侯。竇氏凡三人為侯。

〇〇二〈留侯世家〉（卷五五）

（張良）居下邳，為任俠。項伯常殺人，從良匿。

〇〇三〈老莊申韓列傳〉（卷六三）

（韓）非見韓之削弱，數以書諫韓王，韓王不能用。

於是韓非疾治國不務脩明其法制，執勢以御其臣下，富國彊兵而以求人任賢，反舉浮淫之蠹而加之於功實之上。以為儒者用文亂法，而俠者以武犯禁。寬則寵名譽之人，急則用介胄之士。今者所養非所用，所用非所養。悲廉直不容於邪枉之臣，觀往者得失之變，故作〈孤憤〉、〈五蠹〉、〈內、外儲〉、〈說林〉、〈說難〉十餘萬言。

○○四〈孟嘗君列傳〉（卷七五）

太史公曰：吾嘗過薛，其俗閭里率多暴桀子弟，與鄒、魯殊。問其故，曰：「孟嘗君招致天下任俠姦人入薛中，蓋六萬餘家矣。」世之傳孟嘗君好客自喜，名不虛矣。

○○五〈春申君列傳〉（卷七八）

後十七日，楚考烈王卒，李園果先入，伏死士於棘門之內。春申君入棘門，園死士俠刺春申君，斬其頭，投之棘門外。於是遂使吏盡滅春申君之家。

而李園女弟初幸春申君，有身，而入之王，所生子者遂立，是為楚幽王。

〇〇六〈刺客列傳〉（卷八六）

曹沫者，魯人也，以勇力事魯莊公。莊公好力。曹沫為魯將，與齊戰，三敗北。魯莊公懼，乃獻遂邑之地以和。猶復以為將。

齊桓公許與魯會于柯而盟。桓公與莊公既盟於壇上，曹沫執匕首劫齊桓公，桓公左右莫敢動，而問曰：「子將何欲？」曹沫曰：「齊彊魯弱，而大國侵魯亦以甚矣。今魯城壞，即壓齊境，君其圖之。」桓公乃許盡歸魯之侵地。既已言，曹沫投其匕首，下壇，北面就群臣之位，顏色不變，辭令如故。桓公怒，欲倍其約。管仲曰：「不可。夫貪小利以自快，棄信於諸侯，失天下之援，不如與之。」於是桓公乃遂割魯侵地，曹沫三戰所亡地盡復予魯。

其後百六十有七年而吳有專諸之事。

專諸者，吳堂邑人也。伍子胥之亡楚而如吳也，知專諸之能。伍子胥既見吳王僚，說以伐楚之利。吳公子光曰：「彼伍員父兄皆死於楚而員言伐楚，欲自為報私讎也，非能為吳。」吳王乃止。伍子胥知公子光之欲殺吳王僚，乃曰：「彼光將有內志，未可說以外事。」乃進專諸於公子光。

光之父曰吳王諸樊。諸樊弟三人：次曰餘祭，次曰夷昧，次曰季子札。諸樊知季子札賢而不立太子，以次傳三弟，欲卒致國于季子札。諸樊既死，傳餘祭。餘祭死，傳夷昧。夷昧死，當傳季子札；季子札逃不肯立，吳人乃立夷昧之子僚為王。公子光曰：「使以兄弟次邪，季子當立；必以子乎，則光真適嗣，當立。」故嘗陰養謀臣以求立。

光既得專諸，善客待之。九年而楚平王死。春，吳王僚欲因楚喪，使其二弟公子蓋餘、屬庸將兵圍楚之灊；使延陵季子於晉，以觀諸侯之變。楚發兵絕吳將蓋餘、屬庸路，吳兵不得還。於是公子光謂專諸曰：「此時不可失，不求何獲！且光真王嗣，當立，季子雖來，不吾廢也。」專諸曰：「王僚可殺也。母老子弱，而兩弟將兵伐楚，楚絕其後。方今吳外困於楚，而內空無骨鯁之臣，是無如我何。」公子光頓首曰：「光之身，子之身也。」

四月丙子，光伏甲士於窟室中，而具酒請王僚。王僚使兵陳自宮至光之家，門戶階陛左右，皆王僚之親戚也。夾立侍，皆持長鈹。酒既酣，公子光詳為足疾，入窟室中，使專諸置匕首魚炙之腹中而進之。既至王前，專諸擘魚，因以匕首刺王僚，王僚立死。左右亦殺專諸，王人擾亂。公子光出其伏甲以攻王僚之徒，盡滅之，遂自立為王，是為闔閭。闔閭乃封專諸之子以為上卿。

其後七十餘年而晉有豫讓之事。

豫讓者，晉人也，故嘗事范、中行氏，而無所知名。去而事智伯，智伯甚尊寵之。及智伯伐趙襄子，趙襄子與韓、魏合謀滅智伯，滅智伯之後而三分其地。趙襄子最怨智伯，漆其頭以為飲器。豫讓遁逃山中，曰：「嗟乎！士為知己者死，女為悅己者容。今智伯知我，我必為報讎而死，以報智伯，則吾魂魄不愧矣。」乃變名姓為刑人，入宮塗廁，中挾匕首，欲以刺襄子。襄子如廁，心動，執問塗廁之刑人，則豫讓，內持刀兵，曰：「欲為智伯報讎！」左右欲誅之。襄子曰：「彼義人也，吾謹避之耳。且智伯亡無後，而其臣欲為報讎，此天下之賢人也。」卒釋去之。

居頃之，豫讓又漆身為厲，呑炭為啞，使形狀不可知，行乞於市。其妻不識也。行見其友，其友識之，曰：「汝非豫讓邪？」曰：「我是也。」其友為泣曰：「以子之才，委質而臣事襄子，襄子必近幸子。近幸子，乃為所欲，顧不易邪？何乃殘身苦行，欲以求報襄子，不亦難乎！」豫讓曰：「既已委質臣事人，而求殺之，是懷二心以事其君也。且吾所為者極難耳！然所以為此者，將以愧天下後世之為人臣懷二心以事其君者也。」

既去，頃之，襄子當出，豫讓伏於所當過之橋下。襄子至橋，馬驚，襄子曰：「此必是豫讓也。」使人問之，果豫讓也。於是襄子乃數豫讓曰：「子不嘗事范、中行氏乎？智伯盡滅之，而子不為報讎，而反委質臣於智伯。智伯亦已死矣，而子獨何以為之報讎之深也？」豫讓曰：「臣事范、中行氏，范、中行氏皆眾人遇我，我故眾人報之；至於智伯，國士遇我，我故國士報之。」襄子喟然嘆息而泣曰：「嗟乎豫子！子之為智伯，名既成矣；而寡人赦子，亦已足矣。子其自為計，寡人不復釋子！」使兵圍之。豫讓曰：「臣聞明主不掩人之美，而忠臣有死名之義。前君已寬赦臣，天下莫不稱君之賢。今日之事，臣固伏誅，然願請君之衣而擊之焉，以致報讎之意，則雖死不恨。非所敢望也，敢布腹心！」於是襄子大義之，乃使使持衣與豫讓，豫讓拔劍三躍而擊之，曰：「吾可以下報智伯矣！」遂伏劍自殺。死之日，趙國志士聞之，皆為涕泣。

其後四十餘年而軹有聶政之事。

聶政者，軹深井里人也。殺人避仇，與母、姊如齊，以屠為事。

久之，濮陽嚴仲子事韓哀侯，與韓相俠累有郤。嚴仲子恐誅，亡去，游求人可以報俠累者。至齊，齊人或言聶政勇敢士也，避仇隱於屠者之閒。嚴仲子至門請，數反，然後具酒自暢聶政母前。酒酣，嚴仲子奉黃金百鎰，前為聶政母壽。聶政驚怪其厚，固謝嚴仲子。嚴仲子固進，而聶政謝曰：「臣幸有老母，家貧，客游以為狗屠，可以旦夕得甘毳以養親。親供養備，不敢當仲子之賜。」嚴仲子辟人，因為聶政言曰：「臣有仇，而行游諸侯眾矣；然至齊，竊聞足下義甚高，故進百金者，將用為大人麤糲之費，得以交足下之驩，豈敢以有求望邪！」聶政曰：「臣所以降志辱身居市井屠者，徒幸以養老母；老母在，政身未敢以許人也。」嚴仲子固讓，聶政竟不肯受也。然嚴仲子卒備賓主之禮而去。

久之，聶政母死。既已葬，除服，聶政曰：「嗟乎！政乃市井之人，鼓刀以屠；而嚴仲子乃諸侯之卿相也，不遠千里，枉車騎而交臣。臣之所以待之，至淺鮮矣，未有大功可以稱者，而嚴仲子奉百金為親壽，我雖不受，然是者徒深知政也。夫賢者以感忿睚眥之意而親信窮僻之人，而政獨安得嘿然而已乎！且前日要政，政徒以老母；老母今以天年終，政將為知己者用。」乃遂西至濮陽，見嚴仲子曰：「前日所以不許仲子者，徒以親在；今不幸而母以天年終。仲子所欲報仇者為誰？請得從事焉！」嚴仲子具告曰：「臣之仇韓相俠累，俠累又韓君之季父也，宗族盛多，居處兵衛甚設，臣欲使人刺之，眾終莫能就。今足下幸而不棄，請益其車騎壯士可為足下輔翼者。」聶政曰：「韓之與衛，相去中間不甚遠，今殺人之相，相又國君之親，此其勢不可以多人，多人不能無生得失，生得失則語泄，語泄是韓舉國而與仲子為讎，豈不殆哉！」遂謝車騎人徒，聶政乃辭。

獨行杖劍至韓，韓相俠累方坐府上，持兵戟而衛侍者甚眾。聶政直入，上階刺殺俠累，左右大亂。聶政大呼，所擊殺者數十人，因自皮面決眼，自屠出腸，遂以死。

韓取聶政屍暴於市，購問莫知誰子。於是韓購縣之，有能言殺相俠累者予千金。久之莫知也。

政姊榮聞人有刺殺韓相者，賊不得，國不知其名姓，暴其屍而縣之千金，乃於邑曰：「其是吾弟與？嗟乎，嚴仲子知吾弟！」立起，如韓，之市，而死者果政也，伏屍哭極哀，曰：「是軹深井里所謂聶政者也。」市行者諸眾人皆曰：「此人暴虐吾國相，王縣購其名姓千金，夫人不聞與？何敢來識之也？」榮應之曰：「聞之。然政所以蒙污辱自棄於市販之閒者，為老母幸無恙，妾未嫁也。親既以天年下世，妾已嫁夫，嚴仲子乃察舉吾弟困污之中而交之，澤厚矣，可奈何！士固為知己者死，今乃以妾尚在之故，重自刑以絕從，妾其奈何畏歿身之誅，終滅賢弟之名！」大驚韓市人。乃大呼天者三，卒於邑悲哀而死政之旁。

晉、楚、齊、衛聞之，皆曰：「非獨政能也，乃其姊亦烈女也。鄉使政誠知其姊無濡忍之志，不重暴骸之難，必絕險千里以列其名，姊弟俱僇於韓市者，亦未必敢以身許嚴仲子也。嚴仲子亦可謂知人能得士矣！」

其後二百二十餘年秦有荊軻之事。

荊軻者，衛人也。其先乃齊人，徙於衛，衛人謂之慶卿。而之燕，燕人謂之荊卿。

荊卿好讀書擊劍，以術說衛元君，衛元君不用。其後秦伐魏，置東郡，徙衛元君之支屬於野王。

荊軻嘗游過榆次，與蓋聶論劍，蓋聶怒而目之。荊軻出，人或言復召荊卿。蓋聶曰：「曩者吾與論劍有不稱者，吾目之；試往，是宜去，不敢留。」使使往之主人，荊卿則已駕而去榆次矣。使者還報，蓋聶曰：「固去也，吾曩者目攝之！」

荊軻游於邯鄲，魯句踐與荊軻博，爭道，魯句踐怒而叱之，荊軻嘿而逃去，遂不復會。

荊軻既至燕，愛燕之狗屠及善擊筑者高漸離。荊軻嗜酒，日與狗屠及高漸離飲於燕市，酒酣以往，高漸離擊筑，荊軻和而歌於市中，相樂也，已而相泣，旁若無人者。荊軻雖游於酒人乎，然其為人沉深好書；其所游諸侯，盡與其賢豪長者相結。其之燕，燕之處士田光先生亦善待之，知其非庸人也。

居頃之，會燕太子丹質秦亡歸燕。燕太子丹者，故嘗質於趙，而秦王政生於趙，其少時與丹驩。及政立為秦王，而丹質於秦。秦王之遇燕太子丹不善，故丹怨而亡歸。歸而求為報秦王者，國小，力不能。其後秦日出兵山東以伐齊、楚、三晉，稍蠶食諸侯，且至於燕，燕君臣皆恐禍之至。太子丹患之，問其傅鞠武。武對曰：「秦地徧天下，威脅韓、魏、趙氏，北有甘泉、谷口之固，南有涇、渭之沃，擅巴、漢之饒，右隴、蜀之山，左關、殽之險，民眾而士厲，兵革有餘。意有所出，則長城之南，易水以北，未有所定也。奈何以見陵之怨，欲批其逆鱗哉！」丹曰：「然則何由？」對曰：「請入圖之。」

居有閒，秦將樊於期得罪於秦王，亡之燕，太子受而舍之。鞠武諫曰：「不可。夫以秦王之暴而積怒於燕，足為寒心，又況聞樊將軍之所在乎？是謂委肉當餓虎之蹊也，禍必不振矣！雖有管、晏，不能為之謀也。願太子疾遣樊將軍入匈奴以滅口。請西約三晉，南連齊、楚，北購於單于，其後迺可圖也。」太子曰：「太傅之計，曠日彌久，心然，恐不能須臾。且非獨於此也，夫樊將軍窮困於天下，歸身於丹，丹終不以迫於彊秦而棄所哀憐之交，置之匈奴，是固丹命卒之時也。願太傅更慮之。」鞠武曰：「夫行危欲求安，造禍而求福，計淺而怨深，連結一人之後交，不顧國家之大害，此所謂資怨而助禍矣。夫以鴻毛燎於爐炭之上，必無事矣。且以鵰鷙之秦，行怨暴之怒，豈足道哉！燕有田光先生，其為人智深而勇沉，可與謀。」太子曰：「願因太傅而得交於田先生，可乎？」鞠武曰：「敬諾。」出見田先生，道：「太子願圖國事於先生也。」田光曰：「敬奉教。」乃造焉。

太子逢迎，卻行為導，跪而撇席。田光坐定，左右無人，太子避席而請曰：「燕秦不兩立，願先生留意也。」田光曰：「臣聞騏驥盛壯之時，一日而馳千里；至其衰老，駑馬先之。今太子聞光盛壯之時，不知臣精已消亡矣。雖然，光不敢以圖國事，所善荊卿可使也。」太子曰：「願因先生得結交於荊卿，可乎？」田光曰：「敬諾。」即起，趨出。太子送至門，戒曰：「丹所報先生所言者，國之大事也，願先生勿泄也！」田光俛而笑曰：「諾。」

僂行見荊卿，曰：「光與子相善，燕莫不知。今太子聞光壯盛之時，不知吾形已不逮也，幸而教之曰：『燕秦不兩立，願先生留意也』。光竊不自外，言足下於太子也，願足下過太子於宮。」荊軻曰：「謹奉教。」田光曰：「吾聞之，長者為行，不使人疑之。今太子告光曰：『所言者，國之大事也，願先生勿泄』，是太子疑光也。夫為行而使人疑之，非節俠也。」欲自殺以激荊卿，曰：「願足下急過太子，言光已死，明不言也。」因遂自刎而死。

荊軻遂見太子，言田光已死，致光之言。太子再拜而跪，膝行流涕，有頃而后言曰：「丹所以誠田先生毋言者，欲以成大事之謀也。今田先生以死明不言，豈丹之心哉！」荊軻坐定，太子避席頓首曰：「田先生不知丹之不肖，使得至前，敢有所道，此天之所以哀燕而不棄其孤也。今秦有貪利之心，而欲不可足也。非盡天下之地，臣海內之王者，其意不厭。今秦已虜韓王，盡納其地。又舉兵南伐楚，北臨趙；王翦將數十萬之眾距漳、鄴，而李信出太原、雲中。趙不能支秦，必入臣，入臣則禍至燕。燕小弱，數困於兵，今計舉國不足以當秦。諸侯服秦，莫敢合從。丹之私計愚，以為誠得天下之勇士使於秦，闚以重利；秦王貪，其勢必得所願矣。誠得劫秦王，使悉反諸侯侵地，若曹沫之與齊桓公，則大善矣；則不可，因而刺殺之。彼秦大將擅兵於外而內有亂，則君臣相疑，以其間諸侯得合從，其破秦必矣。此丹之上願，而不知所委命，唯荊卿留意焉。」久之，荊軻曰：「此國之大事也，臣駑下，恐不足任使。」太子前頓首，固請毋讓，然後許諾。於是尊荊卿為上卿，舍上舍。太子日造門下，供太牢具，異物閒進，車騎美女恣荊軻所欲，以順適其意。

久之，荊軻未有行意。秦將王翦破趙，虜趙王，盡收入其地，進兵北略地至燕南界。太子丹恐懼，乃請荊軻曰：「秦兵旦暮渡易水，則雖欲長侍足下，豈可得哉！」荊軻曰：「微太子言，臣願謁之。今行而毋信，則秦未可親也。夫樊將軍，秦王購之金千斤，邑萬家。誠得樊將軍首與燕督亢之地圖，奉獻秦王，秦王必說見臣，臣乃得有以報。」太子曰：「樊將軍窮困來歸丹，丹不忍以已之私而傷長者之意，願足下更慮之！」

荊軻知太子不忍，乃遂私見樊於期曰：「秦之遇將軍可謂深矣，父母宗族皆為戮沒。今聞購將軍首金千斤，邑萬家，將奈何？」於期仰天太息流涕曰：「於期每念之，常痛於骨髓，顧計不知所出耳！」荊軻曰：「今有一言可以解燕國之患，報將軍之仇者，何如？」於期乃前曰：「為之奈何？」荊軻曰：「願得將軍之首以獻秦王，秦王必喜而見臣，臣左手把其袖，右手揕其胸，然則將軍之仇報而燕見陵之愧除矣。將軍豈有意？」樊於期偏袒搤捥而進曰：「此臣之日夜切齒腐心也，乃今得聞教！」遂自剄。太子聞之，馳往，伏屍而哭，極哀。既已不可奈何，乃遂盛樊於期首函封之。

於是太子豫求天下之利匕首，得趙人徐夫人匕首，取之百金，使工以藥焠之，以試人，血濡縷，人無不立死者。乃裝為遣荊卿。燕國有勇士秦舞陽，年十三，殺人，人不敢忤視。乃令秦舞陽為副。荊軻有所待，欲與俱；其人居遠未來，而為治行。頃之，未發，太子遲之，疑其改悔，乃復請曰：「日已盡矣，荊卿豈有意哉？丹請得先遣秦舞陽。」荊軻怒，叱太子曰：「何太子之遣？往而不返者，豎子也！且提一匕首入不測之彊秦，僕所以留者，待吾客與俱。今太子遲之，請辭決矣！」遂發。

太子及賓客知其事者，皆白衣冠送之。至易水之上，既祖，取道，高漸離擊筑，荊軻和而歌，為變徵之聲，士皆垂淚涕泣。又前而為歌曰：「風蕭蕭兮易水寒，壯士一去兮不復還！」復為羽聲忼慨，士皆瞋目，髮盡上指冠。於是荊軻就車而去，終已不顧。

遂至秦，持千金之資幣物，厚遺秦王寵臣中庶子蒙嘉。嘉為先言於秦王曰：「燕王誠振怖大王之威，不敢舉兵以逆軍吏，願舉國為內臣，比諸侯之列，給貢職如郡縣，而得奉守先王之宗廟。恐懼不敢自陳，謹斬樊於期之頭，及獻燕督亢之地圖，函封，燕王拜送于庭，使使以聞大王，唯大王命之。」秦王聞之，大喜，乃朝服，設九賓，見燕使者咸陽宮。荊軻奉樊於期頭函，而秦舞陽奉地圖匣，以次進。至陛，秦舞陽色變振恐，群臣怪之。荊軻顧笑舞陽，前謝曰：「北蕃蠻夷之鄙人，未嘗見天子，故振慴。願大王少假借之，使得畢使於前。」秦王謂軻曰：「取舞陽所持地圖。」軻既取圖奏之，秦王發圖，圖窮而匕首見。因左手把秦王之袖，而右手持匕首揕之。未至身，秦王驚，自引而起，袖絕。拔劍，劍長，操其室。時惶急，劍堅，故不可立拔。荊軻逐秦王，秦王環柱而走。群臣皆愕，卒起不意，盡失其度。而秦法，群臣侍殿上者不得持尺寸之兵；諸郎中執兵皆陳殿下，非有詔召不得上。方急時，不及召下兵，以故荊軻乃逐秦王。而卒惶急，無以擊軻，而以手共搏之。是時侍醫夏無且以其所奉藥囊提荊軻也。秦王方環柱走，卒惶急，不知所為，左右乃曰：「王負劍！」負劍，遂拔以擊荊軻，斷其左股。荊軻廢，乃引其匕首以擿秦王，不中，中桐柱。秦王復擊軻，軻被八創。軻自知事不就，倚柱而笑，箕倨以罵曰：「事所以不成者，以欲生劫之，必得約契以報太子也。」於是左右既前殺軻，秦王不怡者良久。已而論功，賞群臣及當坐者各有差，而賜夏無且黃金二百鎰，曰：「無且愛我，乃以藥囊提荊軻也。」

於是秦王大怒，益發兵詣趙，詔王翦軍以伐燕。十月而拔薊城。燕王喜、太子丹等盡率其精兵東保於遼東。秦將李信追擊燕王急，代王嘉乃遺燕王喜書曰：「秦所以尤追燕急者，以太子丹故也。今王誠殺丹獻之秦王，秦王必解，而社稷幸得血食。」其後李信追丹，丹匿衍水中，燕王乃使使斬太子丹，欲獻之秦。秦復進兵攻之。後五年，秦卒滅燕，虜燕王喜。

其明年，秦并天下，立號為皇帝。於是秦逐太子丹、荊軻之客，皆亡。高漸離變名姓為人庸保，匿作於宋子。久之，作苦，聞其家堂上客擊筑，傍偟不能去。每出言曰：「彼有善有不善。」從者以告其主，曰：「彼庸乃知音，竊言是非。」家大人召使前擊筑，一坐稱善，賜酒。而高漸離念久隱畏約無窮時，乃退，出其裝匣中筑與其善衣，更容貌而前。舉坐客皆驚，下與抗禮，以為上客。使擊筑而歌，客無不流涕而去者。宋子傳客之，聞於秦始皇。秦始皇召見，人有識者，乃曰：「高漸離也。」秦皇帝惜其善筑，重赦之，乃矐其目。使擊筑，未嘗不稱善。稍益近之，高漸離乃以鉛置筑中，復進得近，舉筑朴秦皇帝，不中。於是遂誅高漸離，終身不復近諸侯之人。

魯句踐已聞荊軻之刺秦王，私曰：「嗟乎，惜哉其不講於刺劍之術也！甚矣吾不知人也！曩者吾叱之，彼乃以我為非人也！」

太史公曰：世言荊軻，其稱太子丹之命，「天雨粟，馬生角」也，太過。又言荊軻傷秦王，皆非也。始公孫季功、董生與夏無且游，具知其事，為余道之如是。自曹沫至荊軻五人，此其義或成或不成，然其立意較然，不欺其志，名垂後世，豈妄也哉！

〇〇七〈季布欒布列傳〉（卷一〇〇）

A

季布者，楚人也。為氣任**俠**㈠，有名於楚。項籍使將兵，數窘漢王。及項羽滅，高祖購求布千金，敢有舍匿，罪及三族。季布匿濮陽周氏。周氏曰：「漢購將軍急，迹且至臣家，將軍能聽臣，臣敢獻計；即不能，願先自剄。」季布許之。迺髡鉗季布，衣褐衣，置廣柳車中，并與其家僮數十人，之魯朱家所賣之。朱家心知是季布，迺買而置之田。誡其子曰：「田事聽此奴，必與同食。」朱家迺乘軺車之洛陽，見汝陰侯滕公。

滕公留朱家飲數日。因謂滕公曰：「季布何大罪，而上求之急也？」滕公曰：「布數為項羽窘上，上怨之，故必欲得之。」朱家曰：「君視季布何如人也？」曰：「賢者也。」朱家曰：「臣各為其主用，季布為項籍用，職耳。項氏臣可盡誅邪？今上始得天下，獨以己之私怨求一人，何示天下之不廣也！且以季布之賢而漢求之急如此，此不北走胡即南走越耳。夫忌壯士以資敵國，此伍子胥所以鞭荊平王之墓也。君何不從容為上言邪？」汝陰侯滕公心知朱家大**俠**，意季布匿其所，迺許曰：「諾。」待閒，果言如朱家指。上迺赦季布。

當是時，諸公皆多季布能摧剛為柔，朱家亦以此名聞當世。季布召見，謝，上拜為郎中。

(一)《集解》：孟康曰：「信交道曰任。」如淳曰：「相與信為任，同是非為**俠**。所謂『權行州里，力折公侯』者也。」或曰任，氣力也；**俠**，甹也《索隱》：任，而禁反。**俠**音協。如淳說為近。甹音普名反，其義難喻。

B

季布弟季心，氣蓋關中，遇人恭謹，為任**俠**，方數千里，士皆爭為之死。嘗殺人，亡之吳，從袁絲匿。長事袁絲，弟畜灌夫、籍福之屬。嘗為中司馬，中尉郅都不敢不加禮。少年多時時竊籍其名以行。當是時，季心以勇，布以諾，著聞關中。

〇〇八〈魏其武安侯列傳〉（卷一〇七）

（灌）夫不喜文學，好任俠，已然諾。諸所與交通，無非豪桀大猾。家累數千萬，食客日數十百人。陂池田園，宗族賓客為權利，橫於潁川。潁川兒乃歌之曰：「潁水清，灌氏寧；潁水濁，灌氏族。」

〇〇九〈淮南衡山列傳〉（卷一一八）

（淮南）王（劉安）有孽子不害，……不害有子建，……淮南王見（劉）建已徵治，恐國陰事且覺，欲發，（伍）被又以為難，乃復問被曰：「公以為吳興兵是邪非也？」被曰：「以為非也。吳王至富貴也，舉事不當，身死丹徒，頭足異處，子孫無遺類。臣聞吳王悔之甚。願王孰慮之，無為吳王之所悔。」王曰：「男子之所死者一言耳。且吳何知反？漢將一日過成皋者四十餘人，今我令樓緩先要成皋之口，周被下潁川兵塞轘轅、伊闕之道，陳定發南陽兵守武關。河南太守獨有雒陽耳，何足憂！然此北尚有臨晉關、河東、上黨與河內、趙國。人言曰『絕成皋之口，天下不通』。據三川之險，招山東之兵，舉事如此，公以為何如？」被曰：「臣見其禍，未見其福也。」

王曰：「左吳、趙賢、朱驕如皆以為有福，什事九成，公獨以為有禍無福，何也？」被曰：「大王之群臣近幸，素能使眾者，皆前繫詔獄，餘無可用者。」王曰：「陳勝、吳廣無立錐之地，千人之聚，起於大澤，奮臂大呼而天下響應，西至於戲而兵百二十萬。今吾國雖小，然而勝兵者可得十餘萬，非直適戍之眾，鐖鑿棘矜也，公何以言有禍無福？」被曰：「往者秦為無道，殘賊天下。興萬乘之駕，作阿房之宮，收太半之賦，發閭左之戍，父不寧子，兄不便弟，政苛刑峻，天下熬然若焦，民皆引領而望，傾耳而聽，悲號仰天，叩心而怨上，故陳勝大呼，天下響應。當今陛下臨制天下，一齊海內，汎愛蒸庶，布德施惠。口雖未言，聲疾雷霆，令雖未出，化馳如神，心有所懷，威動萬里，下之應上，猶影響也。而大將軍材能不特章邯、楊熊也。大王以陳勝、吳廣諭之，被以為過矣。」

王曰：「苟如公言，不可徼幸邪？」被曰：「被有愚計。」王曰：「奈何？」被曰：「當今諸侯無異心，百姓無怨氣。朔方之郡田地廣，水草美，民徙者不足以實其地。臣之愚計，可偽為丞相御史請書，徙郡國豪桀任**俠**及有耐罪以上，赦令除其罪，家產五十萬以上者，皆徙其家屬朔方之郡，益發甲卒，急其會日。又偽為左右都司空上林中都官詔獄逮書，以逮諸侯太子幸臣。如此則民怨，諸侯懼，即使辯武隨而說之，儻可徼幸什得一乎？」王曰：「此可也。雖然，吾以為不至若此。」

於是王乃令官奴入宮，作皇帝璽，丞相、御史、大將軍、軍吏、中二千石、都官令、丞印，及旁近郡太守、都尉印，漢使節法冠，欲如伍被計。使人偽得罪而西，事大將軍、丞相；一日發兵，使人即刺殺大將軍青，而說丞相下之，如發蒙耳。

〇一〇〈汲鄭列傳〉（卷一二〇）

A

（沒）黯為人性倨，少禮，面折，不能容人之過。合己者善待之，不合己者不能忍見，士亦以此不附焉。

然好學，游俠，任氣節，內行脩絜，好直諫，數犯主之顏色，常慕傅柏、袁盎之為人也。善灌夫、鄭當時及宗正劉棄。亦以數直諫，不得久居位。

B

鄭莊以任俠自喜，脫張羽於戹，聲聞梁楚之閒。

孝景時，為太子舍人。每五日洗沐，常置驛馬安諸郊，存諸故人，請謝賓客，夜以繼日，至其明旦，常恐不徧。

莊好黃老之言，其慕長者如恐不見。年少官薄，然其游知交皆其大父行，天下有名之士也。

武帝立，莊稍遷為魯中尉、濟南太守、江都相，至九卿為右內史。以武安侯魏其時議，貶秩為詹事，遷為大農令。

○一一〈酷吏列傳〉（卷一二二）

武帝即位，徙（寧成）為內史。外戚多毀成之短，抵罪髡鉗。是時九卿罪死即死，少被刑，而成極刑，自以為不復收，於是解脱，詐刻傳出關歸家。稱曰：「仕不至二千石，賈不至千萬，安可比人乎！」乃貰貸買陂田千餘頃，假貧民，役使數千家。數年，會赦。致產數千金，為任**俠**，持吏長短，出從數十騎。其使民威重於郡守。

○一二〈游**俠**(一)列傳〉（卷一二四）

韓子曰：「儒以文亂法，而**俠**以武犯禁。」二者皆譏(二)，而學士多稱於世云。至如以術取宰相卿大夫，輔翼其世主，功名俱著於春秋，固無可言者。及若季次、原憲，閭巷人也，讀書懷獨行君子之德，義不苟合當世，當世亦笑之。故季次、原憲終身空室蓬戶，褐衣疏食不厭。死而已四百餘年，而弟子志之不倦。

今游**俠**，其行雖不軌於正義，然其言必信，其行必果，已諾必誠，不愛其軀，赴士之阨困，既已存亡死生矣，而不矜其能，羞伐其德，蓋亦有足多者焉。

且緩急，人之所時有也。太史公曰：「昔者虞舜窘於井廩，伊尹負於鼎俎，傅説匿於傅險，呂尚困於棘津，夷吾桎梏，百里飯牛，仲尼畏匡，菜色陳、蔡，此皆學士所謂有道仁人也。猶然遭此菑，況以中材而涉亂世之末流乎？其遇害何可勝道哉！鄙人有言曰：何知仁義？已饗其利者為有德。伯夷醜周，餓死首陽山，而文、武不以其故貶王；跖、蹻暴戾，其徒頌義無窮。由此觀之，竊鉤者誅，竊國者侯。侯之門仁義存㈢，非虛言也。

今拘學或抱咫尺之義，久孤於世，豈若卑論儕俗，與世沈浮而取榮名哉！而布衣之徒，設取予然諾，千里誦義，為死不顧世，此亦有所長，非苟而已也。故士窮窘而得委命，此豈非人之所謂賢豪閒者邪？誠使鄉曲之**俠**，予季次、原憲比權量力，效功於當世，不同日而論矣。要以功見言信，**俠**客之義又曷可少哉！

古布衣之**俠**，靡得而聞已。近世延陵、孟嘗、春申、平原、信陵之徒，皆因王者親屬，藉於有土卿相之富厚，招天下賢者，顯名諸侯，不可謂不賢者矣。比如順風而呼，聲非加疾，其勢激也。至如閭巷之**俠**，脩行砥名，聲施於天下，莫不稱賢，是為難耳。然儒、墨皆排擯不載。自秦以前，匹夫之**俠**，湮滅不見，余甚恨之。以余所聞，漢興有朱家、田仲、王公、劇孟、郭解之徒，雖時扞當世之文罔，然其私義廉絜退讓，有足稱者。名不虛立，士不虛附。至如朋黨宗彊比周，設財役貧，豪暴侵凌孤弱，恣欲自快，游**俠**亦醜之。余悲世俗不察其意，而猥以朱家、郭解等令與暴豪之徒同類而共笑之也。

魯朱家者，與高祖同時。魯人皆以儒教，而朱家用**俠**聞。所藏活豪士以百數，其餘庸人不可勝言。然終不伐其能，歆其德，諸所嘗施，唯恐見之。振人不贍，先從貧賤始。家無餘財，衣不完采，食不重味，乘不過軥牛。專趨人之急，甚己之私。既陰脫季布將軍之阨，及布尊貴，終身不見也。自關以東，莫不延頸願交焉。

楚田仲以俠聞，喜劍，父事朱家，自以為行弗及。

田仲已死，而雒陽有劇孟。周人以商賈為資，而劇孟以任俠顯諸侯。吳楚反時，條侯為太尉，乘傳車將至河南，得劇孟，喜曰：「吳楚舉大事而不求孟，吾知其無能為已矣。」天下騷動，宰相得之若得一敵國云。劇孟行大類朱家，而好博，多少年之戲。然劇孟母死，自遠方送喪蓋千乘。及劇孟死，家無餘十金之財。

而符離人王孟亦以俠稱江淮之閒。是時濟南瞯氏、陳周庸亦以豪聞，景帝聞之，使使盡誅此屬。其后，代諸白(四)、梁韓無辟、陽翟薛況、陜韓孺紛紛復出焉。

郭解，軹人也，字翁伯，善相人者許負外孫也。解父以任俠，孝文時誅死。

解為人短小精悍，不飲酒。少時陰賊，慨不快意，身所殺甚眾。以軀借交報仇，藏命作姦，剽攻不休。及鑄錢掘冢，固不可勝數。適有天幸，窘急常得脫，若遇赦。

及解年長，更折節為儉，以德報怨，厚施而薄望。然其自喜為俠(五)益甚。既已振人之命，不矜其功，其陰賊著於心，卒發於睚眥如故云。而少年慕其行，亦輒為報仇，不使知也。

解姊子負解之勢，與人飲，使之嚼。非其任，彊必灌之。人怒，拔刀刺殺解姊子，亡去。解姊怒曰：「以翁伯之義，人殺吾子，賊不得。」棄其尸於道，弗葬，欲以辱解。解使人微知賊處。賊窘自歸，具以實告解。解曰：「公殺之固當，吾兒不直。」遂去其賊，罪其姊子，乃收而葬之。諸公聞之，皆多解之義，益附焉。

解出入，人皆避之。有一人，獨箕踞視之，解遣人問其名姓。客欲殺之，解曰：「居邑屋，至不見敬，是吾德不脩也，彼何罪？」乃陰屬尉史曰：「是人吾所急也，至踐更時脫之。」每至踐更，數過，吏弗求。怪之，問其故，乃解使脱之，箕踞者乃肉袒謝罪。少年聞之，愈益慕解之行。

雒陽人有相仇者，邑中賢豪居閒者以十數，終不聽。客乃見郭解。解夜見仇家，仇家曲聽解。解乃謂仇家曰：「吾聞雒陽諸公在此閒，多不聽者。今子幸而聽解，解奈何乃從他縣奪人邑中賢大夫權乎？」乃夜去，不使人知，曰：「且無用待我。待我去，令雒陽豪居其閒，乃聽之。」

解執恭敬，不敢乘車入其縣廷。之旁郡國，為人請求事，事可出，出之；不可者，各厭其意，然後乃敢嘗酒食。諸公以故嚴重之，爭為用。邑中少年及旁郡縣賢豪，夜半過門，常十餘車，請得解客舍養之。

及徙豪富茂陵也，解家貧不中訾，吏恐，不敢不徙。衛將軍為言：「郭解家貧，不中徙。」上曰：「布衣權至使將軍為言，此其家不貧！」解家遂徙。諸公送者出千餘萬。

軹人楊季主子為縣掾，舉徙解。解兄子斷楊掾頭。由此楊氏與郭氏為仇。

解入關，關中賢豪知與不知，聞其聲，爭交驩解。

解為人短小，不飲酒，出未嘗有騎。已又殺楊季主。楊季主家上書，人又殺之闕下。上聞，乃下吏捕解。

解亡，置其母家室夏陽，身至臨晉。臨晉籍少公素不知解，解冒，因求出關。籍少公已出解，解轉入太原，所過輒告主人家。吏逐之，迹至籍少公。少公自殺，口絕。久之，乃得解。

窮治所犯，為解所殺，皆在赦前。軹有儒生侍使者坐，客譽郭解，生曰：「郭解專以姦犯公法，何謂賢！」解客聞，殺此生，斷其舌。吏以此責解，解實不知殺者。殺者亦竟絕，莫知為誰。吏奏解無罪。御史大夫公孫弘議曰：「解布衣為任俠行權，以睚眥殺人，解雖弗知，此罪甚於解殺之。當大逆無道。」遂族郭解翁伯。

自是之後，為俠者極眾，敖而無足數者。然關中長安樊仲子、槐里趙王孫、長陵高公子、西河郭公仲、太原鹵公孺、臨淮兒長卿、東陽田君孺，雖為俠而逡逡有退讓君子之風。至若北道姚氏，西道諸杜，南道仇景，東道趙他、羽公子，南陽趙調之徒，此盜跖居民間者耳，曷足道哉！此乃鄉者朱家之羞也。

太史公曰：吾視郭解，狀貌不及中人，言語不足採者。然天下無賢與不肖，知與不知，皆慕其聲，言俠者皆引以為名。諺曰：「人貌榮名，豈有既乎！」於戲，惜哉！

(一)《集解》：荀悅曰：「立氣齊，作威福，結私交，以立彊於世者，謂之游俠。」

(二)《正義》：譏，非言也。儒敝亂法，俠盛犯禁，二道皆非，而學士多稱於世者，故太史公引韓子，欲陳游俠之美。

(三)《索隱》：言人臣委質於侯王門，則須存於仁義。若游俠徑挺，亦何必肯存仁義也。

(四)《索隱》：代，代郡。人有白氏，豪俠非一，故言「諸」。

(五)《索隱》：蘇林云：「言性喜為俠也。」

《索隱·述贊》：游俠豪倨，籍籍有聲。權行州里，力折公卿。朱家脫季，劇孟定傾。急人之難，免讎於更。偉哉翁伯，人貌榮名。

〇一三〈貨殖列傳〉（卷一二九）

A

昔唐人都河東，殷人都河內，周人都河南。夫三河在天下之中，若鼎足，王者所更居也，建國各數百千歲，土地小狹，民人眾，都國諸侯所聚會，故其俗纖儉習事。楊、平陽陳西賈秦、翟，北賈種、代。種、代，石北也，地邊胡，數被寇。人民矜懻忮，好氣，任俠為姦，不事農商。然迫近北夷，師旅亟往，中國委輸時有奇羨。其民羯羠不均，自全晉之時固已患其僄悍，而武靈王益厲之，其謠俗猶有趙之風也。故楊、平陽陳掾其閒，得所欲。溫、軹西賈上黨，北賈趙、中山。中山地薄人眾，猶有沙丘紂淫地餘民，民俗懁急，仰機利而食。丈夫相聚游戲，悲歌忼慨，起則相隨椎剽，休則掘冢作巧姦冶，多美物，為倡優。女子則鼓鳴瑟，跕屣，游媚貴富，入後宮，徧諸侯。

B

然邯鄲亦漳、河之間一都會也。北通燕、涿，南有鄭、衛。鄭、衛俗與趙相類，然近梁、魯，微重而矜節。濮上之邑徙野王，野王好氣任俠，衛之風也。

C

潁川、南陽，夏人之居也。夏人政尚忠朴，猶有先王之遺風。潁川敦愿。秦末世，遷不軌之民於南陽。南陽西通武關、鄖關，東南受漢、江、淮。宛亦一都會也。俗雜好事，業多賈。

其任**俠**，交通潁川，故至今謂之「夏人」。

D

由此觀之，賢人深謀於廊廟，論議朝廷，守信死節隱居巖穴之士設為名高者安歸乎？歸於富厚也。是以廉吏久，久更富，廉賈歸富。富者，人之情性，所不學而俱欲者也。故壯士在軍，攻城先登，陷陣卻敵，斬將搴旗，前蒙矢石，不避湯火之難者，為重賞使也。其在閭巷少年，攻剽椎埋，劫人作姦，掘冢鑄幣，任**俠**并兼，借交報仇，篡逐幽隱，不避法禁，走死地如騖，其實皆為財用耳。今夫趙女鄭姬，設形容，揳鳴琴，揄長袂，躡利屣，目挑心招，出不遠千里，不擇老少者，奔富厚也。游閑公子，飾冠劍，連車騎，亦為富貴容也。弋射漁獵，犯晨夜，冒霜雪，馳阬谷，不避猛獸之害，為得味也。博戲馳逐，鬭雞走狗，作色相矜，必爭勝者，重失負也。醫方諸食技術之人，焦神極能，為重糈也。吏士舞文弄法，刻章偽書，不避刀鋸之誅者，沒於賂遺也。農工商賈畜長，固求富益貨也。此有知盡能索耳，終不餘力而讓財矣。

〇一四〈太史公自序〉（卷一三〇）

救人於戹，振人不贍，仁者有乎；不既信，不倍言，義者有取焉。作〈游**俠**列傳〉第六十四。

〇一五裴　駰〈史記集解序〉

班固有言曰：「司馬遷據左氏、國語，采世本、戰國策，述楚漢春秋，接其後事，訖于天漢。其言秦漢詳矣。至於采經摭傳，分散數家之事，甚多疏略，或有抵捂。亦其所涉獵者廣博，貫穿經傳，馳騁古今上下數千載間，斯已勤矣。又其是非頗謬於聖人㈠，論大道則先黃老而後六經，序游**俠**則退處士而進姦雄㈡，述貨殖則崇勢利而羞賤貧：此其所蔽也。然自劉向、揚雄博極群書，皆稱遷有良史之才，服其善序事理，辯而不華，質而不俚，其文直，其事核，不虛美，不隱惡，故謂之實錄。」駰以為固之所言，世稱其當。雖時有紕繆，實勤成一家，總其大較，信命世之宏才也。

㈠《索隱》：聖人謂周公、孔子也。言周孔之教皆宗儒尚德，今太史公乃先黃老，崇勢利，是謬于聖人也。《正義》：太史公史記各顯六家之宗，黃老道家之宗，六經儒家之首，序游**俠**則退處士，述貨殖則崇勢利，處士賤貧，原憲非病。夫作史之體，務涉多時，有國之規，備陳臧否，天人地理咸使該通，而遷天縱之才，述作無滯，故異周孔之道。班固詆之，裴駰引序，亦通人之蔽也。而固作漢書，與史記同者五十餘卷，謹寫史記，少加異者，不弱即劣，何更非駁史記，乃是後士妄非前賢。又史記五十二萬六千五百言，敍二千四百一十三年事，漢書八十一萬言，敍二百二十五年事；司馬遷引父致意，班固父修而蔽之，優劣可知矣。

㈡《索隱》：游**俠**，謂輕死重氣，如荊軻、豫讓之輩也。游，從也，行也。**俠**，挾也，持也。言能相從游行挾持之事；又曰，同是非曰**俠**。《正義》：姦雄，姦猾雄豪之人。

《漢　書》

〇一六〈宣帝紀〉（卷八）

孝宣皇帝（劉詢），武帝曾孫，戾太子孫也。太子納史良娣，生史皇孫。皇孫納王夫人，生宣帝，號曰「皇曾孫」。……後有詔掖庭養視，上屬籍宗正。時掖庭令張賀嘗事戾太子，思顧舊恩，哀曾孫，奉養甚謹，以私錢供給教書。既壯，為取暴室嗇夫許廣漢女，曾孫因依倚廣漢兄弟及祖母家史氏。受詩於東海澓中翁，高材好學，然亦喜游**俠**，鬬雞走馬，具知閭里奸邪，吏治得失。數上下諸陵，周徧三輔，常困於蓮勺鹵中。尤樂杜、鄠之間，率常在下杜。時會朝請，舍長安尚冠里，身足下有毛，臥居數有光燿。每買餅，所從買家輒大讎，亦以是自怪。

〇一七〈刑法志〉（卷二三）

自建武、永平，民亦新免兵革之禍，人有樂生之慮，與高、惠之間同，而政在抑彊扶弱，朝無威福之臣，邑無豪桀之**俠**。以口率計，斷獄少於成、哀之間什八，可謂清矣。然而未能稱意比隆於古者，以其疾未盡除，而刑本不正。

〇一八〈地理志〉（卷二八）

A

故秦地於禹貢時跨雍、梁二州，詩風兼秦、豳兩國。昔后稷封斄，公劉處豳，大王徙郊，文王作酆，武王治鎬，其民有先王遺風，好稼穡，務本業，故豳詩言農桑衣食之本甚備。有鄠、杜竹林，南山檀柘，號稱陸海，為九州膏腴。

始皇之初，鄭國穿渠，引涇水溉田，沃野千里，民以富饒。漢興，立都長安，徙齊諸田，楚昭、屈、景及諸功臣家於長陵。後世世徙吏二千石、高訾富人及豪桀并兼之家於諸陵。蓋亦以彊幹弱支，非獨為奉山園也。是故五方雜厝，風俗不純。其世家則好禮文，富人則商賈為利，豪桀則游**俠**通姦。瀕南山，近夏陽，多阻險輕薄，易為盜賊，常為天下劇。又郡國輻湊，浮食者多，民去本就末，列侯貴人車服僭上，眾庶倣效，羞不相及，嫁娶尤崇侈靡，送死過度。

B

衛地有桑間濮上之阻，男女亦亟聚會，聲色生焉，故俗稱鄭衛之音。

周末有子路、夏育，民人慕之，故其俗剛武，上氣力。漢興，二千石治者亦以殺戮為威。

宣帝時韓延壽為東郡太守，承聖恩，崇禮義，尊諫爭，至今東郡號善為吏，延壽之化也。其失頗奢靡，嫁取送死過度，而野王好氣任俠，有濮上風。

〇一九〈季布欒布田叔傳〉（卷三七）

A

季布，楚人也，為任俠有名㈠。項籍使將兵，數窘漢王。項籍滅，高祖購求布千金，敢有舍匿，罪三族。布匿濮陽周氏，周氏曰：「漢求將軍急迹，且至臣家，能聽臣，臣敢進計；即否，願先自剄。」布許之。乃髡鉗布，衣褐，置廣柳車中，并與其家僮數十人，之魯朱家所賣之㈡。朱家心知其季布也，買置田舍。乃之雒陽見汝陰侯滕公，說曰：「季布何罪？臣各為其主用，職耳。項氏臣豈可盡誅邪？今上始得天下，而以私怨求一人，何示不廣也！且以季布之賢，漢求之急如此，此不北走胡，南走越耳。夫忌壯士以資敵國，此伍子胥所以鞭荊平之墓也。君何不從容為上言之？」滕公心知朱家大俠，意布匿其所，乃許諾。侍間，果言如朱家指。上乃赦布。

當是時，諸公皆多布能摧剛為柔，朱家亦以此名聞當世。布召見，謝，拜郎中。

㈠應劭曰：「任謂有堅完可任託以事也。」如淳曰：「相與信為任，同是非為俠。」師古曰：「任謂任使其氣力。俠之言挾也，以權力俠輔人也。任音人禁反。俠音下頰反。」宋祁曰：「俠疑作挾。」

(二)師古曰：「朱家，魯人，見〈游俠傳〉。」

B

（季）布弟季心氣蓋關中，遇人恭謹，為任俠，方數千里，士爭為死。嘗殺人，亡吳，從爰絲匿。長事爰絲，弟畜灌夫、籍福之屬。嘗為中司馬，中尉郅都不敢加。少年多時時竊借其名以行。

當是時，季心以勇，布以諾，聞關中。

C

田叔，趙陘城人也。其先，齊田氏也。叔好劍，學黃老術於樂鉅公。為人廉直，喜任俠。游諸公，趙人舉之趙相趙午，言之趙王張敖，以為郎中。數歲，趙王賢之。

〇二〇〈張陳王周傳〉（卷四〇）

（張良）居下邳，為任俠。項伯嘗殺人，從良匿。

〇二一〈張馮汲鄭傳〉（卷五〇）

A

（汲黯）為人性倨，少禮，面折，不能容人之過。合己者善待之，不合者弗能忍見，士亦以此不附焉。

然好游俠，任氣節，行修潔。其諫，犯主之顏色。常慕傅伯、爰盎之為人。善灌夫、鄭當時及宗正劉棄疾。亦以數直諫，不得久居位。

B

（鄭）當時以任俠自喜，脫張羽於阨，聲聞梁楚間。孝景時，為太子舍人。每五日洗沐，常置驛馬長安諸郊，請謝賓客，夜以繼日，至明旦，常恐不徧。

當時好黃老言，其慕長者，如恐不稱。自見年少官薄，然其知友皆大父行，天下有名之士也。

〇二二〈賈鄒枚路傳〉（卷五一）

吳王以太子事怨望，稱疾不朝，陰有邪謀。（鄒）陽奏書諫為其事，……其辭曰：……臣聞鷙鳥纍百，不如一鶚。夫全趙之時，武力鼎士袨服叢臺之下者一旦成市，而不能止幽王之湛患。淮南連山東之俠，死士盈朝，不能還厲王之西也。然而計議不得，雖諸、賁不能安其位，亦明矣。故願大王審畫而已。

〇二三〈竇田灌韓傳〉（卷五二）

（灌）夫不好文學，喜任俠，已然諾。諸所與交通，無非豪桀大猾。家累數千萬，食客日數十百人。波池田園，宗族賓客為權利，橫潁川。潁川兒歌之曰：「潁水清，灌氏寧；潁水濁，灌氏族。」

〇二四〈司馬遷傳〉（卷六二）

贊曰：自古書契之作而有史官，其載籍博矣。至孔氏纂之，上繼唐堯，下訖秦繆。唐虞以前雖有遺文，其語不經，故言黃帝、顓頊之事未可明也。及孔子因魯史記而作春秋，而左丘明論輯其本事以為之傳，又纂異同為國語。又有世本，錄黃帝以來至春秋時帝王公侯卿大夫祖世所出。春秋之後，七國並爭，秦兼諸侯，有戰國策。漢興伐秦定天下，有楚漢春秋。

故司馬遷據左氏、國語，采世本、戰國策，述楚漢春秋，接其後事，訖于大漢。其言秦漢，詳矣。至於采經摭傳，分散數家之事，甚多疏略，或有抵捂。亦其涉獵者廣博，貫穿經傳，馳騁古今，上下數千載間，斯以勤矣。又其是非頗繆於聖人，論大道則先黃老而後六經，序遊俠則退處士而進姦雄，述貨殖則崇勢利而羞賤貧，此其所蔽也。

然自劉向、揚雄博極群書，皆稱遷有良史之材，服其善序事理，辨而不華，質而不俚，其文直，其事核，不虛美，不隱惡，故謂之實錄。嗚呼！以遷之博物洽聞，而不能以知自全，既陷極刑，幽而發憤，書亦信矣。迹其所以自傷悼，小雅巷伯之倫。夫唯大雅「既明且哲，能保其身」，難矣哉！

○二五〈公孫劉車王楊蔡陳鄭傳〉（卷六六）

（公孫）賀子敬聲，代賀為太僕，父子並居公卿位。

敬聲以皇后姊子，驕奢不奉法，征和中擅用北軍錢千九百萬，發覺，下獄。是時詔捕陽陵朱安世不能得，上求之急，賀自請逐捕安世以贖敬聲罪。上許之。後果得安世。

安世者，京師大俠也，聞賀欲以贖子罪，笑曰：「丞相禍及宗矣。南山之竹不足受我辭，斜谷之木不足為我械。」安世遂從獄中上書，告敬聲與陽石公主私通，及使人巫祭祠詛上，且上甘泉當馳道埋偶人，祝詛有惡言。下有司案驗賀，窮治所犯，遂父子死獄中，家族。

〇二六〈楊胡朱梅云傳〉（卷六七）

朱雲字游，魯人也，徙平陵。

少時通輕**俠**，借客報仇，長八尺餘，容貌甚壯，以勇力聞。

年四十，迺變節從博士白子友受易，又事前將軍蕭望之受論語，皆能傳其業。好倜儻大節，當世以是高之。

〇二七〈趙充國辛慶忌傳〉（卷六九）

（辛慶忌）長子通為護羌校尉，中子遵函谷關都尉，少子茂水衡都尉，出為郡守，皆有將帥之風。……元始中，安漢公王莽秉政，見慶忌本大將軍（王）鳳所成，三子皆能，欲親厚之。

是時莽方立威柄，用甄豐、甄邯以自助，豐、邯新貴，威震朝廷。水衡都尉茂自見名臣子孫，兄弟並列，不甚詘事兩甄。

時平帝幼，外家衛氏不得在京師，而護羌校尉（辛）通長子次兄素與帝從舅衛子伯相善，兩人俱游**俠**，賓客甚盛。

及呂寬事起，莽誅衛氏。兩甄搆言諸辛陰與衛子伯為心腹，有背恩不說安漢公之謀。於是司直陳崇舉奏其宗親隴西辛興等侵陵百姓，威行州郡。莽遂按通父子、遵茂兄弟及南郡太守辛伯等，皆誅殺之。辛氏繇是廢。

慶忌本狄道人，為將軍，徙昌陵。昌陵罷，留長安。

○二八〈眭兩夏侯京翼李傳〉（卷七五）

眭弘字孟，魯國蕃人也。

少時好俠，鬭雞走馬，長乃變節，從嬴公受春秋。以明經為議郎，至符節令。

○二九〈趙尹韓張兩王傳〉（卷七六）

A

趙廣漢字子都，涿郡蠡吾人也，故屬河間。

少為郡吏、州從事，以廉絜通敏下士為名。舉茂材，平準令。察廉為陽翟令。以治行尤異，遷京輔都尉，守京兆尹。

會昭帝崩，而新豐杜建為京兆掾，護作平陵方上。建素豪俠，賓客為姦利，廣漢聞之，先風告。建不改，於是收案致法。中貴人豪長者為請無不至，終無所聽。宗族賓客謀欲篡取，廣漢盡知其計議主名起居，使吏告曰：「若計如此，且并滅家。」令數吏將建棄市，莫敢近者。

京師稱之。

B

廣漢為人彊力，天性精於吏職。見吏民，或夜不寢至旦。尤善為鉤距，以得事情。鉤距者，設欲知馬賈，則先問狗，已問羊，又問牛，然後及馬，參伍其賈，以類相準，則知馬之貴賤不失實矣。唯廣漢至精能行之，它人效者莫能及也。郡中盜賊，閭里輕俠，其根株窟穴所在，及吏受取請求銖兩之姦，皆知之。長安少年數人會窮里空舍謀共劫人，坐語未訖，廣漢使吏捕治具服。富人蘇回為郎，二人劫之。有頃，廣漢將吏到家，自立庭下，使長安丞龔奢叩堂戶曉賊，曰：「京兆尹趙君謝兩卿，無得殺質，此宿衛臣也。釋質，束手，得善相遇，幸逢赦令，或時解脫。」二人驚愕，又素聞廣漢名，即開戶出，下堂叩頭，廣漢跪謝曰：「幸全活郎，甚厚！」送獄，敕吏謹遇，給酒肉。至冬當出死，豫為調棺，給斂葬具，告語之，皆曰：「死無所恨！」

〇三〇〈蓋諸葛劉鄭孫毋將何傳〉（卷七七）

A

（孫寶）徵為京兆尹。故吏侯文以剛直不苟合常稱疾不肯仕，寶以恩禮請文，欲為布衣友，日設酒食，妻子相對。文求受署為掾，進見如賓禮。

數月，以立秋日署文東部督郵。入見，敕曰：「今日鷹隼始擊，當順天氣取姦惡，以成嚴霜之誅，掾部渠有其人乎？」文卬曰：「無其人不敢空受職。」寶曰：「誰也？」文曰：「霸陵杜穉季。」寶曰：「其次。」文曰：「豺狼橫道，不宜復問狐狸。」寶默然。

穉季者大**俠**，與衛尉淳于長、大鴻臚蕭育等皆厚善。寶前失車騎將軍，與紅陽侯有卻，自恐見危，時淳于長方貴幸，友寶，寶亦欲附之，始視事而長以穉季託寶，故寶窮，無以復應文。

文怪寶氣索，知其有故，因曰：「明府素著威名，今不敢取穉季，當且闔閤，勿有所問。如此竟歲，吏民未敢誣明府也。即度穉季而譴它事，眾口讙譁，終身自墮。」寶曰：「受教。」

穉季耳目長，聞知之，杜門不通水火，穿舍後牆為小戶，但持鉏自治園，因文所厚自陳如此。文曰：「我與穉季幸同土壤，素無睚眥，顧受將命，分當相直。誠能自改，嚴將不治前事，即不更心，但更門戶，適趣禍耳。」穉季遂不敢犯法，寶亦竟歲無所譴。

明年，穉季病死。寶為京兆尹三歲，京師稱之。會淳于長敗，寶與蕭育等皆坐免官。文復去吏，死於家。

穉季子杜蒼，字君敖，名出穉季右，在游**俠**中。

B

初，邛成太后外家王氏貴，而侍中王林卿通輕**俠**，傾京師。後坐法免，賓客愈盛，歸長陵上冢，因留飲連日。

並恐其犯法，自造門上謁，謂林卿曰：「冢間單外，君宜以時歸。」林卿曰：「諾。」先是林卿殺婢壻埋冢舍，並具知之，以非己時，又見其新免，故不發舉，欲無令留界中而已，即且遣吏奉謁傳送。

林卿素驕，慚於賓客，並度其為變，儲兵馬以待之。林卿既去，北度涇橋，令騎奴還至寺門，拔刀剝其建鼓。並自從吏兵追林卿。行數十里，林卿迫窘，乃令奴冠其冠被其襜褕自代，乘車從童騎，身變服從間徑馳去。會日暮追及，收縛冠奴，奴曰：「我非侍中，奴耳。」並心自知已失林卿，乃曰：「王君困，自稱奴，得脫死邪？」叱吏斷頭持還，縣所剝鼓置都亭下，署曰：「故侍中王林卿坐殺人埋冢舍，使奴剝寺門鼓。」吏民驚駭。林卿因亡命，眾庶讙譁，以為實死。

成帝太后以邛成太后愛林卿故，聞之涕泣，為言哀帝。哀帝問狀而善之，遷並隴西太守。

C

哀帝……遷（何）並隴西太守，徙潁川太守，代陵陽嚴詡。詡本以孝行為官，謂掾史為師友，有過輒閉閤自責，終不大言。

郡中亂，王莽遣使徵詡，官屬數百人為設祖道，詡據地哭。掾史曰：「明府吉徵，不宜若此。」詡曰：「吾哀潁川士，身豈有憂哉！我以柔弱徵，必選剛猛代。代到，將有僵仆者，故相弔耳。」詡至，拜為美俗使者。

是時潁川鍾元為尚書令，領廷尉，用事有權。弟威為郡掾，臧千金。並為太守，過辭鍾廷尉，廷尉免冠為弟請一等之罪，願蚤就髡鉗。並曰：「罪在弟身與君律，不在於太守。」元懼，馳遣人呼弟。

陽翟輕俠趙季、李款多畜賓客，以氣力漁食閭里，至姦人婦女，持吏長短，從橫郡中，聞並且至，皆亡去。

並下車求勇猛曉文法吏且十人，使文吏治三人獄，武吏往捕之，各有所部。敕曰：「三人非負太守，乃負王法，不得不治。鍾威所犯多在赦前，驅使入函谷關，勿令汙民間；不入關，乃收之。趙、李桀惡，雖遠去，當得其頭，以謝百姓。」

鍾威負其兄，止雒陽，吏格殺之。亦得趙、李它郡，持頭還，並皆縣頭及其具獄於市。郡中清靜，表善好士，見紀潁川，名次黃霸。性清廉，妻子不至官舍。數年，卒。疾病，召丞掾作先令書，曰：「告子恢，吾生素餐日久，死雖當得法賻，勿受。葬為小椁，亶容下棺。」恢如父言。王莽擢恢為關都尉。

建武中以並孫為郎。

○三一〈薛宣朱博傳〉（卷八三）

朱博字子元，杜陵人也。

家貧，少時給事縣為亭長，好客少年，捕搏敢行。稍遷為功曹，伉俠好交，隨從士大夫，不避風雨。

是時，前將軍望之子蕭育、御史大夫萬年子陳咸以公卿子著材知名，博皆友之矣。

時諸陵縣屬太常，博以太常掾察廉，補安陵丞。後去官入京兆，歷曹史列掾，出為督郵書掾，所部職辦，郡中稱之。

〇三二〈酷吏傳〉（卷九〇）

A

武帝即位，徙（寧成）為內史，外戚多毀成之短，抵罪髡鉗。是時九卿死即死，少被刑，而成刑極，自以為不復收，乃解脫，詐刻傳出關歸家。稱曰：「仕不至二千石，賈不至千萬，安可比人乎！」乃貰貣陂田千餘頃，假貧民，役使數千家。數年，會赦，致產數千萬，為任**俠**，持吏長短，出從數十騎。其使民，威重於郡守。

B

永治、元延間，上怠於政，貴戚驕恣，紅陽長仲兄弟交通輕**俠**，臧匿亡命。而北地大豪浩商等報怨，殺義渠長妻子六人，往來長安中。丞相御史遣掾求逐黨與，詔書召捕，久之乃得。長安中姦猾浸多，閭里少年群輩殺吏，受賕報仇，相與探丸為彈，得赤丸者斫武吏，得黑丸者斫文吏，白者主治喪；城中薄暮塵起，剽劫行者，死傷橫道，枹鼓不絕。

（尹）賞以三輔高第選守長安令，得壹切便宜從事。賞至，修治長安獄，穿地方深各數丈，致令辟為郭，以大石覆其口，名為「虎穴」。乃部戶曹掾史，與鄉吏、亭長、里正、父老、伍人，雜舉長安中輕薄少年惡子，無市籍商販作務，而鮮衣凶服被鎧扞持刀兵者，悉籍記之，得數百人。

賞一朝會長安吏，車數百兩，分行收捕，皆劾以為通行飲食群盜。賞親閱，見十置一，其餘盡以次內虎穴中，百人為輩，覆以大石。數日壹發視，皆相枕藉死，便輿出，瘞寺門桓東，楬著其姓名，百日後，乃令死者家各自發取其尸。親屬號哭，道路皆歔欷。長安中歌之曰：「安所求子死？桓東少年場。生時諒不謹，枯骨後何葬？」

賞所置皆其魁宿，或故吏善家子失計隨輕黠願自改者，財數十百人，皆貰其罪，詭令立功以自贖。盡力有效者，因親用之為爪牙，追捕甚精，甘耆姦惡，甚於凡吏。

賞視事數月，盜賊止，郡國亡命散走，各歸其處，不敢闚長安。

〇三三〈游俠傳〉（卷九二）

古者天子建國，諸侯立家，自卿大夫以至于庶人各有等差，是以民服事其上，而下無覬覦。孔子曰：「天下有道，政不在大夫。」百官有司奉法承令，以脩所職，失職有誅，侵官有罰。夫然，故上下相順，而庶事理焉。

周室既微，禮樂征伐自諸侯出。桓文之後，大夫世權，陪臣執命。陵夷至於戰國，合從連衡，力政爭彊。繇是列國公子，魏有信陵，趙有平原，齊有孟嘗，楚有春申，皆藉王公之勢，競為游俠，雞鳴狗盜，無不賓禮。而趙相虞卿棄國捐君，以周窮交魏齊之厄；信陵無忌竊符矯命，戮將專師，以赴平原之急：皆以取重諸侯，顯名天下。搤掔而游談者，以四豪為稱首。於是背公死黨之議成，守職奉上之義廢矣。

及至漢興，禁網疏闊，未之匡改也。是故代相陳豨從車千乘，而吳濞、淮南皆招賓客以千數。外戚大臣魏其、武安之屬競逐於京師，布衣游**俠**劇孟、郭解之徒馳騖於閭閻，權行州域，力折公侯。眾庶榮其名迹，覬而慕之。雖其陷於刑辟，自與殺身成名，若季路、仇牧，死而不悔也(一)。故曾子曰：「上失其道，民散久矣。」非明王在上，視之以好惡，齊之以禮法，民曷繇知禁而反正乎！

古之正法：五伯，三王之辠人也；而六國，五伯之辠人也。夫四豪者，又六國之辠人也。況於郭解之倫，以匹夫之細，竊生殺之權，其罪已不容於誅矣。觀其溫良泛愛，振窮周急，謙退不伐，亦皆有絕異之姿。惜乎不入於道德，苟放縱於末流，殺身亡宗，非不幸也！

自魏其、武安、淮南之後，天子切齒，衛、霍改節。然郡國豪桀處處各有，京師親戚冠蓋相望，亦古今常道，莫足言者。唯成帝時，外家王氏賓客為盛，而樓護為帥。及王莽時，諸公之間陳遵為雄，閭里之**俠**原涉為魁。

朱家，魯人，高祖同時也。魯人皆以儒教，而朱家用**俠**聞。所臧活豪士以百數，其餘庸人不可勝言。然終不伐其能，歆其德，諸所嘗施，唯恐見之。振人不贍，先從貧賤始。家亡餘財，衣不兼采，食不重味，乘不過軥牛。專趨人之急，甚於己私。既陰脫季布之戹，及布尊貴，終身不見。自關以東，莫不延頸願交。

楚田仲以**俠**聞，父事朱家，自以為行弗及也。田仲死後，有劇孟。

劇孟者，洛陽人也。周人以商賈為資，劇孟以**俠**顯。

吳楚反時，條侯為太尉，乘傳東，將至河南，得劇孟，喜曰：「吳楚舉大事而不求劇孟，吾知其無能為已。」天下騷動，大將軍得之若一敵國云。

劇孟行大類朱家，而好博，多少年之戲。然孟母死，自遠方送喪蓋千乘。及孟死，家無十金之財。

而符離王孟，亦以**俠**稱江淮之間。

是時，濟南瞯氏、陳周膚亦以豪聞。景帝聞之，使使盡誅此屬。其後，代諸白、梁韓毋辟、陽翟薛況、陝寒孺，紛紛復出焉。

郭解，河內軹人也，溫善相人許負外孫也。解父任**俠**，孝文時誅死。解為人靜悍，不飲酒。少時陰賊感慨，不快意，所殺甚眾。以軀借友報仇，臧命作姦剽攻，休乃鑄錢掘冢，不可勝數。適有天幸，窘急常得脫，若遇赦。

及解年長，更折節為儉，以德報怨，厚施而薄望。然其自喜為**俠**益甚。既已振人之命，不矜其功，其陰賊著於心本，發於睚眦如故云。而少年慕其行，亦輒為報讎，不使知也。

解姊子負解之勢，與人飲，使之釂。非其任，彊灌之。人怒，刺殺解姊子，亡去。解姊怒曰：「以翁伯時人殺吾子，賊不得！」棄其尸道旁，弗葬，欲以辱解。解使人微知賊處。賊窘自歸，具以實告解。解曰：「公殺之當，吾兒不直。」遂去其賊，辠其姊子，收而葬之。諸公聞之，皆多解之義，益附焉。

解出，人皆避。有一人，獨箕踞視之。解問其姓名。客欲殺之，解曰：「居邑屋不見敬，是吾德不脩也，彼何辠？」乃陰請尉史曰：「是人吾所重，至踐更時脫之。」每至直更，數過，吏弗求。怪之，問其故，解使脫之，箕踞者乃肉袒謝辠。少年聞之，愈益慕解之行。

洛陽人有相仇者，邑中賢豪居間以十數，終不聽。客乃見解。解夜見仇家，仇家曲聽。解謂仇家：「吾聞洛陽諸公在間，多不聽。今子幸而聽解，解奈何從它縣奪人邑賢大夫權乎？」乃夜去，不使人知，曰：「且毋庸，待我去，令洛陽豪居間乃聽。」

解為人短小，恭儉，出未嘗有騎，不敢乘車入其縣庭。之旁郡國，為人請求事，事可出，出之；不可者，各令厭其意，然後乃敢嘗酒食。諸公以此嚴重之，爭為用。邑中少年及旁近縣豪，夜半過門，常十餘車，請得解客舍養之。

及徙豪茂陵也，解貧，不中訾。吏恐，不敢不徙。衛將軍為言：「郭解家貧，不中徙。」上曰：「解布衣，權至使將軍，此其家不貧！」解徙。諸公送者出千餘萬。軹人楊季主子為縣掾，鬲之，解兄子斷楊掾頭。解入關，關中賢豪知與不知，聞聲爭交驩。邑人又殺楊季主。季主家上書，人又殺闕下。上聞，乃下吏捕解。解亡，置其母家室夏陽，身至臨晉。臨晉籍少翁素不知解，因出關。籍少翁已出解，解傳太原，所過輒告主人處。吏逐迹至籍少翁，少翁自殺，口絕。久之，得解。窮治所犯為，而解所殺，皆在赦前。

軹有儒生侍使者坐，客譽郭解，生曰：「解專以姦犯公法，何謂賢？」解客聞之，殺此生，斷舌。吏以責解，解實不知殺者，殺者亦竟莫知為誰。吏奏解無罪。御史大夫公孫弘議曰：「解布衣為任俠行權，以睚眥殺人，解不知，此辠甚於解知殺之。當大逆無道。」遂族解。

自是之後，俠者極眾，而無足數者。然關中長安樊中子、槐里趙王孫、長陵高公子、西河郭翁中、太原魯翁孺、臨淮兒長卿、東陽陳君孺，雖為俠而恂恂有退讓君子之風。至若北道姚氏、西道諸杜、南道仇景、東道佗羽公子、南陽趙調之徒，盜跖而居民間者耳，曷足道哉！此迺鄉者朱家所羞也。

萬章字子夏，長安人也。長安熾盛，街閭各有豪俠，章在城西柳市，號曰「城西萬子夏」。

為京兆尹門下督，從至殿中，侍中諸侯貴人爭欲揖章，莫與京兆尹言者。章逡循甚懼。其後京兆不復從也。

與中書令石顯相善，亦得顯權力，門車常接轂。至成帝初，石顯坐專權擅勢免官，徙歸故郡。顯貲巨萬，當去，留牀席器物數百萬直，欲以與章，章不受。賓客或問其故，章歎曰：「吾以布衣見哀於石君，石君家破，不能有以安也，而受其財物，此為石氏之禍，萬氏反當以為福邪！」諸公以是服而稱之。

河平中，王尊為京兆尹，捕擊豪俠，殺章及箭張回、酒市趙君都、賈子光，皆長安名豪，報仇怨養刺客者也。

樓護字君卿，齊人。父世醫也，護少隨父為醫長安，出入貴戚家。護誦醫經、本草、方術數十萬言，長者咸愛重之，共謂曰：「以君卿之材，何不宦學乎？」繇是辭其父，學經傳，為京兆吏數年，甚得名譽。

是時王氏方盛，賓客滿門，五侯兄弟爭名，其客各有所厚，不得左右，唯護盡入其門，咸得其驩心。結士大夫，無所不傾，其交長者，尤見親而近，眾以是服。為人短小精辯，論議常依名節，聽之者皆竦。與谷永俱為五侯上客，長安號曰：「谷子雲筆札，樓君卿脣舌」，言其見信用也。母死，送葬者致車二三千兩，閭里歌之曰：「五侯治喪樓君卿。」

久之，平阿侯舉護方正，為諫大夫，使郡國。護假貸，多持幣帛，過齊，上書求上先人冢，因會宗族故之，各以親疏與束帛，一日散百金之費，使還，奏事稱意，擢為天水太守。數歲免，家長安中。時成都侯商為大司馬衛將軍，罷朝，欲候護，其主簿諫：「將軍至尊，不宜入閭巷。」商不聽，遂往至護家。家狹小，官屬立車下，久住移時，天欲雨，主簿謂西曹諸掾曰：「不肯彊諫，反雨立閭巷！」商還，或白主簿語，商恨，以他職事去主簿，終身廢錮。

後護復以薦為廣漢太守。元始中，王莽為安漢公，專政，莽長子宇與妻兄呂寬謀以血塗莽第門，欲懼莽令歸政。發覺，莽大怒，殺宇，而呂寬亡。寬父素與護相知，寬至廣漢過護，不以事實語也。到數日，名捕寬詔書至，護執寬。莽大喜，徵護入為前煇光，封息鄉侯，列於九卿。

莽居攝，槐里大賊趙朋、霍鴻等群起，延入前煇光界，護坐免為庶人。其居位，爵祿賂遺所得亦緣乎盡。既退居里巷，時五侯皆已死，年老失勢，賓客益衰。至王莽篡位，以舊恩召見護，封為樓舊里附城。而成都侯商子邑為大司空，貴重，商故人皆敬重邑，唯護自安如舊節，邑亦父事之，不敢有闕。時請召賓客，邑居樽下，稱「賤子上壽」。坐者百數，皆離席伏，護獨東鄉正坐，字謂邑曰：「公子貴如何！」

初，護有故人呂公，無子，歸護。護身與呂公、妻與呂嫗同食。及護家居，妻子頗厭呂公。護聞之，流涕責其妻子曰：「呂公以故舊窮老託身於我，義所當奉。」遂養呂公終身。護卒，子嗣其爵。

陳遵字孟公，杜陵人也。祖父遂，字長子，宣帝微時與有故，相隨博弈，數負進。及宣帝即位，用遂，稍遷至太原太守，乃賜遂璽書曰：「制詔太原太守：官尊祿厚，可以償博矣。妻君寧時在旁，知狀。」遂於是辭謝，因曰：「事在元平元年赦令前。」其見厚如此。元帝時，徵遂為京兆尹，至廷尉。

遵少孤，與張竦伯松俱為京兆史。竦博學通達，以廉儉自守，而遵放縱不拘，操行雖異，然相親友，哀帝之末俱著名字，為後進冠。並入公府，公府掾史率皆羸車小馬，不上鮮明，而遵獨極輿馬衣服之好，門外車騎交錯。又日出醉歸，曹事數廢。西曹以故事適之，侍曹輒詣寺舍白遵曰：「陳卿今日以某事適。」遵曰：「滿百乃相聞。」故事，有百適者斥，滿百，西曹白請斥。大司徒馬宮大儒優士，又重遵，謂西曹：「此人大度士，奈何以小文責之？」乃舉遵能治三輔劇縣，補郁夷令。久之，與扶風相失，自免去。

槐里大賊趙朋、霍鴻等起，遵為校尉，擊朋、鴻有功，封嘉威侯。居長安中，列侯近臣貴戚皆貴重之。牧守當之官，及郡國豪桀至京師者，莫不相因到遵門。

遵耆酒，每大飲，賓客滿堂，輒關門，取客車轄投井中，雖有急，終不得去。嘗有部刺史奏事，過遵，值其方飲，刺史大窮，候遵霑醉時，突入見遵母，叩頭自白當對尚書有期會狀，母乃令從後閤出去。遵大率常醉，然事亦不廢。

長八尺餘，長頭大鼻，容貌甚偉。略涉傳記，贍於文辭。性善書，與人尺牘，主皆藏去以為榮。請求不敢逆，所到，衣冠懷之，唯恐在後。時列侯有與遵同姓字者，每至人門，曰陳孟公，坐中莫不震動，既至而非，因號其人曰陳驚坐云。

王莽素奇遵材，在位多稱譽者，繇是起為河南太守。既至官，當遣從史西，召善書吏十人於前，治私書謝京師故人。遵馮几，口占書吏，且省官事，書數百封，親疏各有意，河南大驚。數月免。

初，遵為河南太守，而弟級為荊州牧，當之官，俱過長安富人故淮陽王外家左氏飲食作樂。後司直陳崇聞之，劾奏「遵兄弟幸得蒙恩超等歷位，遵爵列侯，備郡守，級州牧奉使，皆以舉直察枉宣揚聖化為職，不正身自慎。始遵初除，乘藩車入閭巷，過寡婦左阿君置酒謌謳，遵起舞跳梁，頓仆坐上，暮因留宿，為侍婢扶臥。遵知飲酒飫宴有節，禮不入寡婦之門，而湛酒溷肴，亂男女之別，輕辱爵位，羞汙印韍，惡不可忍聞。臣請皆免。」遵既免，歸長安，賓客愈盛，飲食自若。

久之，復為九江及河內都尉，凡三為二千石。而張竦亦至丹陽太守，封淑德侯。後俱免官，以列侯歸長安。竦居貧，無賓客，時時好事者從之質疑問事，論道經書而已。而遵晝夜呼號，車騎滿門，酒肉相屬。

先是黃門郎揚雄作酒箴以諷諫成帝，其文為酒客難法度士，譬之於物，曰：「子猶瓶矣。觀瓶之居，居井之眉，處高臨深，動常近危。酒醪不入口，臧水滿懷，不得左右，牽於纆徽。一旦叀礙，為甍所轠，身提黃泉，骨肉為泥。自用如此，不如鴟夷。鴟夷滑稽，腹如大壺，盡日盛酒，人復借酤。常為國器，託於屬車，出入兩宮，經營公家。繇是言之，酒何過乎！」遵大喜之，常謂張竦：「吾與爾猶是矣。足下諷誦經書，苦身自約，不敢差跌，而我放意自恣，浮湛俗間，官爵功名，不減於子，而差獨樂，顧不優邪！」竦曰：「人各有性，長短自裁。子欲為我亦不能，吾而效子亦敗矣。雖然，學我者易持，效子者難將，吾常道也。」

及王莽敗，二人俱客於池陽，竦為賊兵所殺。更始至長安，大臣薦遵為大司馬護軍，與歸德侯劉颯俱使匈奴。單于欲脅詘遵，遵陳利害，為言曲直，單于大奇之，遣還。會更使敗，遵留朔方，為賊所敗，時醉見殺。

原涉字巨先。祖父武帝時以豪桀自陽翟徙茂陵。涉父哀帝時為南陽太守。天下殷富，大郡二千石死官，賦斂送葬者皆千萬以上，妻子通共受之，以定產業。時又少行三年喪者。及涉父死，讓還南陽賻送，行喪冢廬三年，繇是顯名京師。禮畢，扶風謁請為議曹，衣冠慕之輻輳。為大司徒史丹舉能治劇，為谷口令，時年二十餘。谷口聞其名，不言而治。

先是涉季父為茂陵秦氏所殺，涉居谷口半歲所，自劾去官，欲報仇。谷口豪桀為殺秦氏，亡命歲餘，逢赦出。郡國諸豪及長安、五陵諸為氣節者皆歸慕之。涉遂傾身與相待，人無賢不肖闐門，在所閭里盡滿客。

或譏涉曰：「子本吏二千石之世，結髮自修，以行喪推財禮讓為名，正復讎取仇，猶不失仁義，何故遂自放縱，為輕**俠**之徒乎？」涉應曰：「子獨不見家人寡婦邪？始自約敕之時，意迺慕宋伯姬及陳孝婦，不幸壹為盜賊所汙，遂行淫失，知其非禮，然不能自還。吾猶此矣！」

涉自以為前讓南陽賻送，身得其名，而令先人墳墓儉約，非孝也。乃大治起冢舍，周閣重門。初，武帝時，京兆尹曹氏葬茂陵，民謂其道為京兆仟。涉慕之，乃買地開道，立表署曰南陽仟，人不肯從，謂之原氏仟。費用皆卬富人長者，然身衣服車馬纔具，妻子內困。專以振施貧窮赴人之急為務。人嘗置酒請涉，涉入里門，客有道涉所知母病避疾在里宅者。涉即往候，叩門。家哭，涉因入弔，問以喪事。家無所有，涉曰：「但絜埽除沐浴，待涉。」還至主人，對賓客歎息曰：「人親臥地不收，涉何心鄉此！願徹去酒食。」賓客爭問所當得，涉乃側席而坐，削牘為疏，具記衣被棺木，下至飯含之物，分付諸客。諸客奔走市買，至日昳皆會。涉親閱視已，謂主人：「願受賜矣。」既共飲食，涉獨不飽，乃載棺物，從賓客往至喪家，為棺斂勞倈畢葬。其周急待人如此。後人有毀涉者曰：「姦人之雄也」，喪家子即時刺殺言者。

賓客多犯法，罪過數上聞。王莽數收繫欲殺，輒復赦出之。涉懼，求為卿府掾史，欲以避客。文母太后喪時，守復土校尉。已為中郎，后免官。涉欲上冢，不欲會賓客，密獨與故人期會。涉單車敺上茂陵，投暮，入其里宅，因自匿不見人。遣奴至市買肉，奴乘涉氣與屠爭言，斫傷屠者，亡。是時，茂陵守令尹公新視事，涉未謁也，聞之大怒。知涉名豪，欲以示眾厲俗，遣兩吏脅守涉。至日中，奴不出，吏欲便殺涉去。涉迫窘不知所為。會涉所與期上冢者車數十乘到，皆諸豪也，共說尹公。尹公不聽，諸豪則曰：「原巨先奴犯法不得，使肉袒自縛，箭貫耳，詣廷門謝辠。於君威亦足矣。」尹公許之。涉如言謝，復服遣去。

初，涉與新豐富人祁太伯為友，太伯同母弟王游公素嫉涉，時為縣門下掾，說尹公曰：「君以守令辱原涉如是，一旦真令至，君復單車歸為府吏，涉刺客如雲，殺人皆不知主名，可為寒心。涉治冢舍，奢僭踰制，辠惡暴著，主上知之。今為君計，莫若墮壞涉冢舍，條奏其舊惡，君必得真令。如此，涉亦不敢怨矣。」尹公如其計，莽果以為真令。涉繇此怨王游公，選賓客，遣長子初從車二十乘劫王游公家。游公母即祁太伯母也，諸客見之皆拜，傳曰：「無驚祁夫人！」遂殺游公父及子，斷兩頭去。

涉性略似郭解，外溫仁謙遜，而內隱好殺。睚眥於塵中，觸死者甚多。王莽末，東方兵起，諸王子弟多薦涉能得士死，可用。莽乃召見，責以皋惡，赦貰，拜鎮戎大尹。涉至官無幾，長安敗，郡縣諸假號起兵攻殺二千石長吏以應漢。諸假號素聞涉名，爭問原尹何在，拜謁之。時莽州牧使者依附涉者皆得活。傳送致涉長安，更始西屏將軍申屠建請涉與相見，大重之。故茂陵令尹公壞涉冢舍者為建主簿，涉本不怨也。涉從建所出，尹公故遮拜涉，謂曰：「易世矣，宜勿復相怨！」涉曰：「尹君，何壹魚肉涉也！」涉用是怒，使客刺殺主簿。

涉欲亡去，申屠建內恨恥之，陽言：「吾欲與原巨先共鎮三輔，豈以一吏易之哉！」賓客通言，令涉自繫獄謝，建許之。賓客車數十乘共送涉至獄。建遣兵道徼取涉於車上，送車分散馳，遂斬涉，縣之長安市。

自哀、平間，郡國處處有豪桀，然莫足數。其名聞州郡者，霸陵杜君敖、池陽韓幼孺、馬領繡君賓、西河漕中叔，皆有謙退之風。

王莽居攝，誅鉏豪**俠**，名捕漕中叔，不能得。素善強弩將軍孫建，莽疑建藏匿，泛以問建。建曰：「臣名善之，誅臣足以塞責。」莽性果賊，無所容忍，然重建，不竟問，遂不得也。

中叔子少游，復以**俠**聞於世云。

㈠師古曰：「季路，孔子弟子也，姓仲名由，衛人也。衛有蒯聵之亂，季路聞之，故入赴難，遇孟黶石乞以戈擊之，斷纓。季路曰：『君子死，冠不免。』結纓而死。仇牧，宋大夫也。宋萬殺閔公，仇牧聞之，趨而至，手劍而叱之。萬臂擊仇牧，碎首，齒著于門闑。言游俠之徒自許節操，同於季路、仇牧。」

○三四〈外戚列傳〉（卷九七）

竇皇后疾，失明。文帝幸邯鄲慎夫人、尹姬，皆無子。文帝崩，景帝立，皇后為皇太后，乃封廣國為章武侯。長君先死，封其子彭祖為南皮侯。吳楚反時，太后從昆弟子竇嬰俠，喜士，為大將軍，破吳楚，封魏其侯。竇氏侯者凡三人。

○三五〈敘　傳〉（卷一〇〇）

A

（班）壹生孺。孺為任俠，州郡歌之。孺生長，官至上谷守。長生回，以茂材為長子令。回生況，舉孝廉為郎，積功勞，至上河農都尉，大司農奏課連最，入為左曹越騎校尉。成帝之初，女為倢伃，致仕就第，貲累千金，徙昌陵。昌陵後罷，大臣名家皆占數于長安。

B

開國承家，有法有制，家不臧甲，國不專殺。矧乃齊民，作威作惠，如台不匡，禮法是謂！述〈游俠傳〉第六十二。

《漢　紀》

〇三六〈孝武皇帝紀一〉（卷一〇）

荀悅曰：「世有三遊，德之賊也。一曰遊俠，二曰遊說，三曰遊行。立氣勢，作威福，結私交，以立彊於世者，謂之遊俠。飾辨辭，設詐謀，馳逐於天下，以要時勢者，謂之遊說；色取仁以合時好，連黨類，立虛譽，以為權利者，謂之遊行。此三遊者，亂之所由生也。傷道害德，敗法惑世，失先王之所慎也。國有四民，各修其業，不由四民之業者，謂之姦民，姦民不生，王道乃成。

凡此三遊之作，生於季世，周秦之末，尤甚焉。上不明，下不正，制度不立，綱紀廢弛，以毀譽為榮辱，不核其真；以愛憎為利害，不論其實；以喜怒為賞罰，不察其理。上下相冒，萬事乖錯。是以言論者計薄厚而吐辭，選舉者度親疏而舉筆，善惡謬於眾聲，功罪亂於王法。然則利不可以義求，害不可以道避也。是以君子犯禮，小人犯法，奔走馳騁，越職僭度，飾華廢實，競趨時利。簡父兄之尊，而崇賓客之禮；薄骨肉之恩，而篤朋友之愛；忘修身之道，而求眾人之譽；割衣食之業，以供饗宴之好。苞苴盈於門庭，聘問交於道路，書記繁於公文，私務重於官事。於是流俗成矣，而正道壞矣！

遊俠之本，生於武毅，不撓久要，不忘平生之言，見危授命，以救時難，而濟同類。以正行之者，謂之武毅，其失之甚者，至於為盜賊也。遊說之本，生於使乎四方，不辱君命，出境有可以安社稷、利國家，則專對解結，辭之懌矣，民之莫矣！以正行之者，謂之辨智，其失之甚者，至於為詐紿徒眾矣。遊行之本，生於道德仁義，泛愛容眾，以文會友，和而不同，進德及時，樂行其道，以立功業於世。以正行之者，謂之君子，其失之甚者，至於因事害私為姦宄矣。其相去殊遠，豈不哀哉！

故大道之行，則三遊廢矣。是以聖王在上，經國序民，正其制度，善惡要於公罪，而不淫於毀譽。聽其言而責其事，舉其名而指其實，故實不應其名者謂之虛，情不覆其貌者謂之偽，毀譽失其真者謂之誣，言事失其類者謂之罔。虛偽之行不得設，誣罔之辭不得行，有罪惡者無僥倖，無罪惡者不憂懼，請謁無所行，貨賂無所用，民志定矣！民志既定，於是先之以德義，示之以好惡，奉業勸功，以用本務，不求無益之物，不畜難得之貨。絕靡麗之飾，遏利欲之巧，則淫流之民定矣，而貪穢之俗清矣！息華文，去浮辭，禁偽辨，絕淫智，放百家之紛亂，一聖人之至道，則虛誕之術絕，而道德有所定矣！尊天地而不瀆，敬鬼神而遠之，除小忌，去淫祀，絕奇怪，正人事，則妖偽之言塞，而性命之理得矣！然後百姓上下，皆反其本，人人親其親，尊其尊，修其身，守其業。於是養之以仁惠，文之以禮樂，則風俗定而大化成矣！

《後漢書》

○三七〈光武帝紀〉（卷一）

世祖光武皇帝諱秀，字文叔，南陽蔡陽人，高祖九世之孫也，出自景帝生長沙定王發。發生舂陵節侯買，買生鬱林太守外，外生鉅鹿都尉回，回生南頓令欽，欽生光武。光武年九歲而孤，養於叔父良。身長七尺三寸，美鬚眉，大口，隆準，日角。性勤於稼穡，而兄伯升好**俠**養士，常非笑光武事田業，比之高祖兄仲。王莽天鳳中，乃之長安，受尚書，略通大義。

○三八〈獻帝紀〉（卷九）

夏五月，司空荀爽薨。六月辛丑，光祿大夫种拂為司空。大鴻臚韓融、少府陰脩、執金吾胡毋班、將作大匠吳脩、越騎校尉王瓌安集關東，後將軍袁術、河內太守王匡各執而殺之㈠，唯韓融獲免。

(一)《英雄記》曰：「匡字公節，太山人也。輕財好施，以任俠聞，為袁紹河內太守。」

○三九〈王昌列傳〉（卷四二）

王昌一名郎，趙國邯鄲人也。素為卜相士，明星曆，常以為河北有天子氣。時趙繆王子（劉）林好奇數，任俠於趙、魏間，多通豪猾，而郎與之親善。初，王莽篡位，長安中或自稱成帝子子輿者，莽殺之。郎緣是詐稱真子輿，云「母故成帝謳者，嘗下殿卒僵，須臾有黃氣從上下，半日乃解，遂妊身就館。趙后欲害之，偽易他人子，以故得全。輿年十二，識命者郎中李曼卿，與俱至蜀；十七，到丹陽；二十，還長安；展轉中山，來往燕、趙，以須天時」。林等愈動疑惑；乃與趙國大豪李育、張參等通謀，規共立郎。會人閒傳赤眉將度河，林等因此宣言赤眉當，立劉子輿以觀眾心，百姓多信之。

○四○〈隗囂列傳〉（卷四三）

A

隗囂字季孟，天水成紀人也。少仕州郡。王莽國師劉歆引囂為士。歆死，囂歸鄉里。季父崔，素豪俠，能得眾。聞更始立而莽兵連敗，於是乃與兄義及上邽人楊廣、冀人周宗謀起兵應漢。囂止之曰：「夫兵，凶事也。宗族何辜！」崔不聽，遂聚眾數千人，攻平襄，殺莽鎮戎大尹。崔、廣等以為舉事宜立主以一眾心，咸謂囂素有名，好經書，遂共推為上將軍。囂辭讓不得已，曰：「諸父眾賢不量小子。必能用囂言者，乃敢從命。」眾皆曰「諾」。

B

帝因令來歙以書招王遵，遵乃與家屬東詣京師，拜為太中大夫，封向義侯。遵字子春，霸陵人也。父為上郡太守。遵少豪**俠**，有才辯，雖與囂舉兵，而常有歸漢意。曾於天水私於來歙曰：「吾所以戮力不避矢石者，豈要爵位哉！徒以人思舊主，先君蒙漢厚恩，思效萬分耳。」又數勸囂遣子入侍，前後辭諫切甚，囂不從，故去焉。

○四一〈宗室四王三侯列傳．齊武王縯傳〉（卷四四）

論曰：大丈夫之鼓動拔起，其志致蓋遠矣。若夫齊武王（縯）之破家厚士，豈游**俠**下客之為哉！其慮將存乎配天之絕業，而痛明堂之不祀也。及其發舉大謀，在倉卒擾攘之中，使信先成於敵人，赦岑彭以顯義，若此足以見其度矣。志高慮遠，禍發所忽。嗚呼！古人以蜂蠆為戒，蓋畏此也。詩云：「敬之敬之，命不易哉！」

○四二〈宗室四王三候列傳·成武孝侯順列傳〉（卷四四）

（劉）弘弟梁，以俠氣聞，更始元年，起兵豫章，欲徇江東，自號「就漢大將軍」，暴病卒。

○四三〈竇融列傳〉（卷五三）

A

竇融字周公，扶風平陵人也。七世祖廣國，孝文皇后之弟，封章武侯。融高祖父，宣帝時以吏二千石自常山徙焉。融早孤。王莽居攝中，為強弩將軍司馬，東擊翟義，還攻槐里，以軍功封建武男。女弟為大司空王邑小妻。家長安中，出入貴戚，連結閭里豪傑，以任俠為名；然事母兄，養弱弟，內修行義。王莽末，青、徐賊起，太師王匡請融為助軍，與共東征。

B

論曰：竇融始以豪俠為名，拔起風塵之中，以投天隙。遂蟬蛻王侯之尊，終膺卿相之位，此則徼功趣埶之士也。及其爵位崇滿，至乃放遠權寵，恂恂似若不能已者，又何智也！嘗獨詳味此子之風度，雖經國之術無足多談，而進退之禮良可言矣。

○四四〈馬援列傳〉（卷五四）

初，兄子嚴、敦並喜譏議，而通輕俠客。援前在交阯，還書誡之曰：「吾欲汝曹聞人過失，如聞父母之名，耳可得聞，口不可得言也。好論議人長短，妄是非正法，此吾所大惡也，寧死不願聞子孫有此行也。汝曹知吾惡之甚矣，所以復言者，施衿結褵，申父母之戒，欲使汝曹不忘之耳。龍伯高敦厚周慎，口無擇言，謙約節儉，廉公有威，吾愛之重之，願汝曹効之。杜季良豪俠好義，憂人之憂，樂人之樂，清濁無所失，父喪致客，數郡畢至，吾愛之重之，不願汝曹効也。効伯高不得，猶為謹勅之士，所謂刻鵠不成尚類鶩者也。効季良不得，陷為天下輕薄子，所謂畫虎不成反類狗者也。訖今季良尚未可知，郡將下車輒切齒，州郡以為言，吾常為寒心，是以不願子孫効也。」

季良名保，京兆人，時為越騎司馬。保仇人上書，訟保「為行浮薄，亂群惑眾，伏波將軍萬里還書以誡兄子，而梁松、竇固以之交結，將扇其輕偽，敗亂諸夏」。書奏，帝召責松、固，以訟書及援誡書示之，松、固叩頭流血，而得不罪。詔免保官。伯高名述，亦京兆人，為山都長，由此擢拜零陵太守。

〇四五〈王丹列傳〉（卷五七）

丹資性方潔，疾惡彊豪。時河南太守同郡陳遵，關西之大**俠**也。其友人喪親，遵為護喪事，賻助甚豐。丹乃懷縑一匹，陳之於主人前，曰：「如丹此縑，出自機杼。」遵聞而有慙色，自以知名，欲結交於丹，丹拒而不許。

〇四六〈郎顗列傳〉（卷六〇）

同郡孫禮者，積惡凶暴，好游**俠**，與其同里人常慕顗名德，欲與親善。顗不顧，以此結怨，遂為禮所殺。

〇四七〈郭伋列傳〉（卷六一）

郭伋字細侯，扶風茂陵人也。高祖父解，武帝時以任**俠**聞。父梵，為蜀郡太守。伋少有志行，哀平閒辟大司空府，三遷為漁陽都尉。王莽時為上谷大尹，遷并州牧。

○四八〈廉范列傳〉（卷六一）

論曰：張堪、廉范皆以氣俠立名，觀其振危急，赴險阸，有足壯者。堪之臨財，范之忘施，亦足以信意而感物矣。若夫高祖之召欒布，明帝之引廉范，加怒以發其志，就戮更延其寵，聞義能徙，誠君道所尚，然情理之樞，亦有開塞之感焉。

○四九〈陰識列傳〉（卷六二）

（識弟興）興字君陵，光烈皇后母弟也，為人有膂力。建武二年，為黃門侍郎，守期門僕射，典將武騎，從征伐，平定郡國。興每從出入，常操持小蓋，障翳風雨，躬履塗泥，率先期門。光武所幸之處，輒先入清宮，甚見親信。雖好施接賓，然門無俠客。與同郡張宗、上谷鮮于裒不相好，知其有用，猶稱所長而達之；友人張汜、杜禽與興厚善，以為華而少實，但私之以財，終不為言：是以世稱其忠平。第宅苟完，裁蔽風雨。

○五〇〈班彪列傳〉（卷七〇）

A

唐虞三代，詩書所及，世有史官，以司典籍，暨於諸侯，國自有史，故孟子曰「楚之檮杌，晉之乘，魯之春秋，其事一也」。定哀之間，魯君子左丘明論集其文，作左氏傳三十篇，又撰異同，號曰國語，二十篇，由是乘、檮杌之事遂闇，而左氏、國語獨章。又有記錄黃帝以來至春秋時帝王公侯卿大夫，號曰世本，一十五篇。

春秋之後，七國並爭，秦并諸侯，則有戰國策三十三篇。漢興定天下，太中大夫陸賈記錄時功，作楚漢春秋九篇。孝武之世，太史令司馬遷採左氏、國語，刪世本、戰國策，據楚、漢列國時事，上自黃帝，下訖獲麟，作本紀、世家、列傳、書、表凡百三十篇，而十篇缺焉。遷之所記，從漢元至武以絕，則其功也。至於採經摭傳，分散百家之事，甚多疏略，不如其本，務欲以多聞廣載為功，論議淺而不篤。其論術學，則崇黃老而薄五經；序貨殖，則輕仁義而羞貧窮；道游俠，則賤守節而貴俗功：此其大敝傷道，所以遇極刑之咎也。然善述序事理，辯而不華，質而不俚，文質相稱，蓋良史之才也。誠令遷依五經之法言，同聖人之是非，意亦庶幾矣。

B

漢之西都，在于雍州，實曰長安。左據函谷、二崤之阻，表以華、終南之山。右界褒斜、隴首之險，帶以洪河、涇、渭之川華實之毛，則九州之上腴焉；防禦之阻，則天下之奧區焉。是故橫被六合，三成帝畿，周以龍興，秦以虎視。及至大漢受命而都之也，仰寤東井之精，俯協河圖之靈，奉春建策，留侯演成，天人合應，以發皇明，乃眷西顧，寔惟作京，於是睎秦嶺，睋北阜，挾酆霸，據龍首。圖皇基於億載，度宏規而大起，肇自高而終平，世增飾以崇麗，歷十二之延祚，故窮奢而極侈。建金城其萬雉，呀周池而成淵，披三條之廣路，立十二之通門。內則街衢洞達，閭閻且千，九市開場，貨別隧分，人不得顧，車不得旋，闐城溢郭，傍流百廛，紅塵四合，煙雲相連。於是既庶且富，娛樂無疆，都人士女，殊異乎五方，游士擬於公侯，列肆侈於姬、姜。鄉曲豪俊游**俠**之雄，節慕原、嘗，名亞春、陵，連交合眾，騁騖乎其中。

C

今論者但知誦虞夏之書，詠殷周之詩，講羲文之易，論孔氏之春秋，罕能精古今之清濁，究漢德之所由。唯子頗識舊典，又徒馳騁乎末流。溫故知新已難，而知德者鮮矣！且夫辟界西戎，險阻四塞，修其防禦，孰與處乎土中，平夷洞達，萬方輻湊？秦領九嵕，涇渭之川，曷若四瀆五岳，帶河泝洛，圖書之淵？建章甘泉，館御列仙，孰與靈臺明堂，統和天人？太液昆明，鳥獸之囿，曷若辟雍海流，道德之富？游**俠**踰侈，犯義侵禮，孰與同履法度，翼翼濟濟也？子習秦阿房之造天，而不知京洛之有制也；識函谷之可關，而不知王者之無外也。」

○五一〈第五倫列傳〉（卷七一）

種匿於閭，甄氏數年，徐州從是臧旻上書訟之曰：臣聞士有忍死之辱，必有就事之計，故季布屈節於朱家㈠，管仲錯行於召忽。

㈠《前書》曰：季布，楚人，為任**俠**有名，數窘漢王，高祖購求布千金。布匿濮陽周氏，周氏曰：「漢求將軍急，敢進計。」布許之，乃髡鉗布，衣褐，并其家僮之魯朱家所賣之。朱家買置田舍，言之高祖，赦之，後為河東守。

〇五二〈光武十王列傳．楚王英傳〉（卷七二）

（劉）英少時好游俠，交通賓客，晚節更喜黃老，學為浮屠齋戒祭祀。八年，詔令天下死罪皆入縑贖。英遣郎中令奉黃縑白紈三十匹詣國相曰：「託在蕃輔，過惡累積，歡喜大恩，奉送縑帛，以贖愆罪。」國相以聞。詔報曰：「楚王誦黃老之微言，尚浮屠之仁祠，潔齋三月，與神為誓，何嫌何疑，當有悔吝？其還贖，以助伊蒲塞桑門之盛饌。」因以班示諸國中傳。英後遂大交通方士，作金龜玉鶴，刻文字以為符瑞。

〇五三〈朱暉列傳〉（卷七三）

論曰：朱穆（暉之孫）見比周傷義，偏黨毀俗，志抑朋游之私，遂著絕交之論。蔡邕以為穆貞而孤，又作正交而廣其致焉。蓋孔子稱「上交不諂，下交不黷」，又曰「晏平仲善與人交」，子夏之門人亦問交於子張。故易明「斷金」之義，詩載「讌朋」之謠。若夫文會輔仁，直諒多聞之友，時濟其益，紵衣傾蓋，彈冠結綬之夫，遂隆其好，斯固交者之方焉。至乃田、竇、衛、霍之游客，廉頗、翟公之門賓，進由埶合，退因衰異。又專諸、荊卿之感激，侯生、豫子之投身，情為恩死，命緣義輕。皆以利害移心，懷德成節，非夫交照之本，未可語失得之原也。穆徒以友分少全，因絕同志之求；黨俠生敝，而忘得朋之義。蔡氏貞孤之言，其為然也！古之善交者詳矣。漢興稱王陽、貢禹、陳遵、張竦，中世有廉范、慶鴻、陳重、靁義云。

○五四〈周榮列傳〉（卷七五）

景後徵入為將作大匠。及梁冀誅，景以故吏免官禁錮。朝廷以景素著忠正，頃之，復引拜尚書令㈠。遷太僕、衛尉。

㈠蔡質《漢儀》曰：「延熹中，京師游俠有盜發順帝陵，賣御物於市，市長追捕不得。周景以尺一詔召司隸校尉左雄詣臺對詰，雄伏於廷答對，景使虎賁左駿頓頭，血出覆面，與三日期，賊便擒也。」

○五五〈章帝八王列傳〉（卷八五）

（桓帝弟蠡吾侯）悝後因中常侍王甫求復國，許謝錢五千萬。帝臨崩，遺詔復為勃海王。悝知非甫功，不肯還謝錢。甫怒，陰求其過。初，迎立靈帝，道路流言悝恨不得立，欲鈔徵書。而中常侍鄭颯、中黃門董騰並任俠通剽輕，數與悝交通。王甫伺察，以為有姦，密告司隸校尉段熲。熹平元年，遂收颯送北寺獄。使尚書令廉忠誣奏颯等謀迎立悝，大逆不道。遂詔冀州刺史收悝考實，又遣大鴻臚持節與宗正、廷尉之勃海，迫責悝。悝自殺。妃妾十一人，子女七十人，伎女二十四人，皆死獄中。傅、相以下，以輔導王不忠，悉伏誅。悝立二十五年國除。眾庶莫不憐之。

○五六〈段熲列傳〉（卷九五）

段熲字紀明，武威姑臧人也。其先出鄭共叔段，西域都護會宗之從曾孫也。熲少便習弓馬，尚遊俠，輕財賄，長乃折節好古學。初舉孝廉，為憲陵園丞、陽陵令，所在能政。

○五七〈黨錮列傳〉（卷九七）

及漢祖杖劍，武夫勃興，憲令寬賒，文禮簡闊，緒餘四豪之烈，人懷陵上之心，輕死重氣，怨惠必讎，令行私庭，權移匹庶，任俠之方，成其俗矣(一)。自武帝以後，崇尚儒學，懷經協術，所在霧會，至有石渠分爭之論，黨同伐異之説，守文之徒，盛於時矣。至王莽專偽，終於篡國，忠義之流，恥見纓紼，遂乃榮華丘壑，甘足枯槁。雖中興在運，漢德重開，而保身懷方，彌相慕襲，去就之節，重於時矣。逮桓靈之閒，主荒政繆，國命委於閹寺，士子羞與為伍，故匹夫抗憤，處士橫議，遂乃激揚名聲，互相題拂，品覈公卿，裁量執政，婞直之風，於斯行矣。

㈠《前書音義》曰：「相與信為任，同是非為**俠**，所謂權行州域，力折公侯者也。」

○五八〈許劭列傳〉（卷九八）

許劭字子將，汝南平輿人也。少峻名節，好人倫，多所賞識。若樊子昭、和陽士者，並顯於世。故天下言拔士者，咸稱許、郭。

初為郡功曹，太守徐璆甚敬之。府中聞子將為吏，莫不改操飾行。同郡袁紹，公族豪**俠**，去濮陽令歸，車徒甚盛，將入郡界，乃謝遣賓客，曰：「吾輿服豈可使許子將見。」遂以單車歸家。

○五九〈何進列傳〉（卷九九）

進素知中官天下所疾，兼忿蹇碩圖己，及秉朝政，陰規誅之。袁紹亦素有謀，因進親客張津勸之曰：「黃門常侍權重日久，又與長樂太后專通姦利，將軍宜更清選賢良，整齊天下，為國家除患。」進然其言。又以袁氏累世寵貴，海內所歸，而紹素善養士，能得豪傑用，其從弟虎賁中郎將術亦尚氣俠，故並厚待之。因復博徵智謀之士龐紀、何顒、荀攸等，與同腹心。

〇六〇〈董卓列傳〉（卷一〇二）

董卓字仲穎，隴西臨洮人也。性麤猛有謀。少嘗遊羌中，盡與豪帥相結。後歸耕於野，諸豪帥有來從之者，卓為殺耕牛，與共宴樂，豪帥感其意，歸相斂得雜畜千餘頭以遺之，由是以健俠知名。為州兵馬掾，常徼守塞下。卓膂力過人，雙帶兩鞬，左右馳射，為羌胡所畏。

〇六一〈袁紹列傳〉（卷一〇四）

A

袁紹字本初，汝南汝陽人，司徒湯之孫。父成，五官中郎將，紹壯健好交結，大將軍梁冀以下莫不善之。

紹少為郎，除濮陽長，遭母憂去官。三年禮竟，追感幼孤，又行父服。服闋，徙居洛陽。紹有姿貌威容，愛士養名(一)。既累世台司，賓客所歸，加傾心折節，莫不爭赴其庭，士無貴賤，與之抗禮，輜輧柴轂，填接街陌。

㈠《英雄記》曰：「紹不妄通賓客，非海內知名不得相見。又好游**俠**，與張孟卓、何伯求、吳子卿、許子遠皆為奔走之友。」

B

司空曹操祖父騰，故中常侍，與左悺、徐璜並作妖孽，饕餮放橫，傷化虐人。父嵩，乞匄攜養，因臧買位，輿金輦寶，輸貨權門，竊盜鼎司，傾覆重器。操贅閹遺醜，本無令德，僄狡鋒**俠**，好亂樂禍㈠。幕府董統鷹揚，埽夷凶逆，續遇董卓侵官暴國，於是提劍揮鼓，發命東夏，廣羅英雄，棄瑕錄用，故遂與操參咨策略，謂其鷹犬之才，爪牙可任。至乃愚佻短慮，輕進易退，傷夷折衄，數喪師徒。幕府輒復分兵命銳，修完補輯，表行東郡太守、兗州刺史，被以虎文，授以偏帥，獎蹴威柄，冀獲秦師一克之報。而遂乘資跋扈，肆行酷烈，割剝元元，殘賢害善。故九江太守邊讓，英才儁逸，以直言正色，論不阿諂，身被梟懸之戮，妻孥受灰滅之咎。自是士林憤痛，人怨天怒，一夫奮臂，舉州同聲，故躬破於徐方，地奪於呂布，彷徨東裔，蹈據無所。幕府惟強幹弱枝之義，且不登畔人之黨，故復援旌擐甲，席捲赴征，金鼓響震，布眾破沮，拯其死亡之患，復其方伯之任。是則幕府無德於兗土，而有大造於操也。

C

㈠《魏志》曰：「操少機警有權數，而任**俠**放蕩，不修行業。」

論曰：袁紹初以豪俠得眾，遂懷雄霸之圖，天下勝兵舉旗者，莫不假以為名。及臨場決敵，則悍夫爭命；深籌高議，則智士傾心。盛哉乎，其所資也！韓非曰：「狠剛而不和，愎過而好勝，嫡子輕而庶子重，斯之謂亡徵。」劉表道不相越，而欲臥收天運，擬蹤三分，其猶木禺之於人也。

○六二〈袁術列傳〉（卷一〇五）

袁術字公路，汝南汝陽人，司空逢之子也。少以俠氣聞，數與諸公子飛鷹走狗，後頗折節。舉孝廉，累遷至河南尹、虎賁中郎將。

○六三〈呂布列傳〉（卷一〇五）

（張）邈字孟卓，東平人，少以俠聞。初辟公府，稍遷陳留太守。董卓之亂，與曹操共舉義兵。及袁紹為盟主，有驕色，邈正義責之。紹既怨邈，且聞與布厚，乃令曹操殺邈。操不聽，然邈心不自安。興平元年，曹操東擊陶謙，令其將武陽人陳宮屯東郡。宮因說邈曰：「今天下分崩，雄桀並起，君擁十萬之眾，當四戰之地，撫劍顧眄，亦足以為人豪，而反受制，不以鄙乎！今州軍東征，其處空虛，呂布壯士，善戰無前，迎之共據兗州，觀天下形勢，俟時事變通，此亦從橫一時也。」邈從之，遂與弟超及宮等迎布為兗州牧，據濮陽，郡縣皆應之。

〇六四〈循吏列傳〉（卷一〇六）

王渙字稚子，廣漢郪人也。父順，安定太守。渙少好**俠**，尚氣力，數通剽輕少年。晚而改節，敦儒學，習尚書，讀律令，略舉大義。為太守陳寵功曹，當職割斷，不避豪右。寵風聲大行，入為大司農。和帝問曰：「在郡何以為理？」寵頓首謝曰：「臣任功曹王渙以簡賢選能，主簿鐔顯拾遺補闕，臣奉宣詔書而已。」帝大悅。渙由此顯名。

〇六五〈文苑列傳〉（卷一一〇）

杜篤字季稚，京兆杜陵人也。……子碩，豪**俠**，以貨殖聞。

〇六六〈逸民列傳〉（卷一一三）

戴良字叔鸞，汝南慎陽人也。曾祖父遵，字子高，平帝時，為侍御史。王莽篡位，稱病歸鄉里。家富，好給施，尚**俠**氣，食客嘗三四百人。時人為之語曰：「關東大豪戴子高。」

《三國志・魏書》

○六七〈武帝紀〉（卷一）

太祖（曹操）少機警，有權數，而任**俠**放蕩，不治行業，故世人未之奇也；唯梁國橋玄、南陽何顒異焉。玄謂太祖曰：「天下將亂，非命世之才不能濟也，能安之者，其在君乎！」年二十，舉孝廉為郎，除洛陽北部尉，遷頓丘令，徵拜議郎。

○六八〈文帝紀〉（卷二）

評曰：文帝天資文藻，下筆成章，博聞彊識，才藝兼該㈠；若加之曠大之度，勵以公平之誠，邁志存道，克德廣心，則古之賢主，何遠之有哉！

㈠《典論》帝〈自敍〉曰：初平之元，董卓殺主鴆后，蕩覆王室。是時四海既困中平之政，兼惡卓之凶逆，家家思亂，人人自危。山東牧守，咸以春秋之義，「衛人討州吁于濮」，言人人皆得討賊。於是大興義兵，名豪大**俠**，富室強族，飄揚雲會，萬里相赴；兗、豫之師戰于滎陽，河內之甲軍于孟津。卓遂遷大駕，西都長安。而山東大者連郡國，中者嬰城邑，小者聚阡陌，以還相吞滅。會黃巾盛於海、嶽，山寇暴於并、冀，乘勝轉攻，席捲而南，鄉邑望煙而奔，城郭覩塵而潰，百姓死亡，暴骨如莽。時余年五歲，上以世方擾亂，教余學射，六歲而知射，又教余騎馬，八歲而能騎射矣。以時之多故，每征，余常從。建安初，上南征荊州，至宛，張繡降。旬日而反，亡兄孝廉子修、從兄安民遇害。時余年十歲，乘馬得脫。夫文武之道，各隨時而用，生于中平之季，長于戎旅之間，是以少好弓馬，于今不衰；逐禽輒十里，馳射常百步，日多體健，心每不厭。建安十年，始定冀州，濊、貊貢良弓，燕、代獻名馬。時歲之暮春，勾芒司節，和風扇物，弓燥手柔，草淺獸肥，與族兄子丹獵于鄴西，終日手獲麞鹿九雉兔三十。後軍南征次曲蠡，尚書令荀彧奉軍，見余談論之末，彧言：「聞君善左右射，此實難能。」余言：「執事未覩夫項發口縱，俯馬蹄而仰月支也。」彧喜笑曰：「乃爾！」余曰：「有常徑，的有常所，雖每發輒中，非至妙也。若馳平原，赴豐草，要狡獸，截輕禽，使弓不虛彎，所中必洞，斯則妙矣。」時軍祭酒張京在坐，顧彧拊手曰「善」。余又學擊劍，閱師多矣，四方之法各異，唯京師為善。桓、靈之間，有虎賁王越善斯術，稱於京師。河南史阿言昔與越遊，具得其法，余從阿學之精熟。嘗與平虜將軍劉勳、奮威將軍鄧展等共飲，宿聞展善有手臂，曉五兵，又稱其能空手入白刃。余與論劒良久，謂言將軍法非也，余顧嘗好之，又得善術，因求與余對。時酒酣耳熱，方食竿蔗，便以為杖，下殿數交，三中其臂，左右大笑。展意不平，求更為之。余言吾法急屬，難相中面，故齊臂耳。展言願復一交，余知其欲突以取交中也，因偽深進，展果尋前，余卻腳鄛，正截其顙，坐中驚視。余還坐，笑曰：「昔陽慶使淳于意去其故方，更授以祕術，今余亦願鄧將軍捐棄故技，更受要道也。」一坐盡歡。夫事不可自謂己長，余少曉持複，自謂無對；俗名雙戟為坐鐵室，鑲楯為蔽木戶；後從陳國袁敏學，以單攻複，每為若神，對家不知所出，先日若逢敏於狹路，直決耳！余於他戲弄之事少所喜，唯彈棊略盡其巧，少為之賦。昔京師先工有馬合鄉侯、東方安世、張公子，常恨不得與彼數子者對。上雅好詩書文籍，雖在軍旅，手不釋卷，每每定省從容，常言人少好學則思專，長則善忘，長大而能勤學者，唯吾與袁伯業耳。余是以少誦詩、論，及長而備歷五經、四部，《史》、《漢》、諸子百家之言，靡不畢覽。

〇六九〈董卓列傳〉（卷六）

董卓字仲穎，隴西臨洮人也。少好**俠**，嘗游羌中，盡與諸豪帥相結。後歸耕於野，而豪帥有來從之者，卓與俱還，殺耕牛與相宴樂。諸豪帥感其意，歸相歛，得雜畜千餘頭以贈卓。漢桓帝末，以六郡良家子為羽林郎。卓有材武，膂力少比，雙帶兩鞬，左右馳射。為軍司馬，從中郎將張奐征并州有功，拜郎中，賜縑九千匹，卓悉以分與吏士。遷廣武令，蜀郡北部都尉，西域戊已校尉，免。徵拜并州刺史、河東太守，遷中郎將，討黃巾，軍敗抵罪。韓遂等起涼州，復為中郎將，西拒遂。於望垣硤北，為羌、胡數萬人所圍，糧食乏絕。卓偽欲捕魚，堰其還道當所渡水為池，使水渟滿數十里，默從堰下過其軍而決堰。比羌、胡聞知追逐，水已深，不得渡。時六軍上隴西，五軍敗績，卓獨全眾而還，屯住扶風。拜前將軍，封斄鄉侯，徵為并州牧。

〇七〇〈袁紹列傳〉（卷六）

A

袁紹字本初，汝南汝陽人也。高祖父安，為漢司徒。自安以下四世居三公位，由是勢傾天下。紹有姿貌威容，能折節下士，士多附之，太祖少與交焉。以大將軍掾為侍御史㈠，稍遷中軍校尉，至司隸。

㈠《英雄記》曰：紹生而父死，二公愛之。幼使為郎，弱冠除濮陽長，有清名。遭母喪，服竟，又追行父服，凡在家廬六年。禮畢，隱居洛陽，不妄通賓客，非海內知名，不得相見。又好游俠，與張孟卓、何伯求、吳子卿、許子遠、伍德瑜等皆為奔走之友。不應辟命。中常侍趙忠謂諸黃門曰：「袁本初坐作聲價，不應呼召而養死士，不知此兒欲何所為乎？」紹叔父隗聞之，責數紹曰：「汝且破我家！」紹於是乃起應大將軍之命。

B

從事沮授。說紹曰：「將軍弱冠登朝，則播名海內；值廢立之際，則忠義奮發；單騎出奔，則董卓懷怖；濟河而北，則勃海稽首。振一郡之卒，撮冀州之眾，威震河朔，名重天下。雖黃巾猾亂，黑山跋扈，舉軍東向，則青州可定；還討黑山，則張燕可滅；回眾北首，則公孫必喪；震脅戎狄，則匈奴必從。橫大河之北，合四州之地，收英雄之才，擁百萬之眾，迎大駕於西京，復宗廟於洛邑，號令天下，以討未復，以此爭鋒，誰能敵之？比及數年，此功不難。」紹喜曰：「此吾心也。」即表授為監軍、奮威將軍。卓遣執金吾胡毋班、將作大匠吳修齎詔書喻紹，紹使河內太守王匡殺之。卓聞紹得關東，乃悉誅紹宗族太傅隗等。當是時，豪**俠**多附紹，皆思為之報，州郡鋒起，莫不假其名。馥懷懼，從紹索去，往依張邈。後紹遣使詣邈，有所計議，與邈耳語。馥在坐上，謂見圖構，無何起至溷自殺。

C

先是，太祖遣劉備詣徐州拒袁術。術死，備殺刺史車冑，引軍屯沛。紹遣騎佐之。太祖遣劉岱，王忠擊之，不克。建安五年，太祖自東征備。田豐說紹襲太祖後，紹辭以子疾，不許。豐舉杖擊地曰：「夫遭難之機，而以嬰兒之病失其會，惜哉！」太祖至，擊破備；備奔紹(一)。

(一)《魏氏春秋》載紹檄州郡文曰：「蓋聞明主圖危以制變，忠臣慮難以立權。曩者彊秦弱主，趙高執柄，專制朝命，威福由己，終有望夷之禍，汙辱至今。及臻呂后，祿、產專政，擅斷萬機，決事省禁，下陵上替，海內寒心。於是絳侯、朱虛興威奮怒，誅夷逆亂，尊立太宗，故能道化興隆，光明顯融，此則大臣立權之明表也。司空曹操，祖父騰，故中常侍，與左悺、徐璜並作妖孽，饕餮放橫，傷化虐民。父嵩，乞攜匄養，因贓假位，輿金輦璧，輸貨權門，竊盜鼎司，傾覆重器。操贅閹遺醜，本無令德，僄狡鋒**俠**，好亂樂禍。幕府昔統鷹揚，掃夷凶逆。續遇董卓侵官暴國，於是提揮鼓，發命東夏，方收羅英雄，棄瑕錄用，故遂與操參咨策略，謂其鷹犬之才，爪牙可任。至乃愚佻短慮，輕進易退，傷夷折衄，數喪師徒。幕府輒復分兵命銳，修完補輯，表行東郡太守、兗州刺史，被以虎文，授以偏師，獎就威柄，冀獲秦師一克之報。而操遂乘資跋扈，肆行酷烈，割剝元元，殘賢害善。故九江太守邊讓，英才俊逸，天下知名，以直言正色，論不阿諂，身被梟縣之戮，妻孥受灰滅之咎。自是士林憤痛，民怨彌重，一夫奮臂，舉州同聲，故躬破於徐方，地奪於呂布，彷徨東裔，蹈據無所。幕府唯彊幹弱枝之義，且不登叛人之黨，故復援旌擐甲，席捲赴征，金鼓響震，布眾破沮，拯其死亡之患，復其方伯之任，是則幕府無德於兗土之民，而有大造於操也。後會鑾駕東反，群虜亂政。時冀州方有北鄙之警，匪遑離局，故使從事中郎徐勛就發遣操，使繕修郊廟，翼衛幼主。而便放志專行，脅遷省禁，卑侮王宮，敗法亂紀，坐召三臺，專制朝政，爵賞由心，刑戮在口，所愛光五宗，所惡滅三族，群談者蒙顯誅，腹議者蒙隱戮，道路以目，百寮鉗口，尚書記朝會，公卿充員品而已。故太尉楊彪，歷典三司，享國極位，操因睚眥，被以非罪，謗楚并兼，五毒俱至，觸情放慝，不顧憲章。又議郎趙彥，忠諫直言，議有可納，故聖朝含聽，改容加錫，操欲迷奪時權，杜絕言路，擅收立殺，不俟報聞。又梁孝王，先帝母弟，墳陵尊顯，松柏桑梓，猶宜恭肅，而操率將校吏士親臨發掘，破棺裸尸，略取金寶，至令聖朝流涕，士民傷懷。又署發丘中郎將、摸金校尉，所過墮突，無骸不露。身處三公之官，而行桀虜之態，殄國虐民，毒流人鬼。加其細政苛慘，科防互設，繒繳充蹊，坑穽塞路，舉手挂網羅，動足蹈機陷，是以兗、豫有無聊之民，帝都有嗟吁之怨。歷觀古今書籍，所載貪殘虐烈無道之臣，於操為甚。幕府方詰外姦，未及整訓，加意含覆，冀可彌縫。而操豺狼野心，潛包禍謀，乃欲撓折棟梁，孤弱漢室，除滅中正，專為梟雄。往歲伐鼓北征，討公孫瓚，彊禦桀逆，拒圍一年。操因其未破，陰交書命，欲託助王師，以相掩襲，故引兵造河，方舟北濟。會其行人發露，瓚亦梟夷，故使鋒芒坐縮，厥圖不果。屯據敖倉，阻河為固，乃欲以螳蜋之斧，禦隆車之隧。幕府奉漢威靈，折衝宇宙，長戟百萬，胡騎千群，奮中黃、育、獲之材，騁良弓勁弩之勢，并州越太行，青州涉濟、漯，大軍汎黃河以角其前，荊州下宛、葉而掎其後，雷震虎步，並集虜庭，若舉炎火以焫飛蓬，覆滄海而沃熛炭，有何不消滅者哉？當今漢道陵遲，綱弛紀絕。操以精兵七百，圍守宮闕，外稱陪衛，內以拘執，懼其篡逆之禍，因斯而作。乃忠臣肝腦塗地之秋，烈士立功之會也，可不勖哉！」此陳琳之辭。

○七一〈袁術列傳〉（卷六）

袁術字公路，司空逢子，紹之從弟也。以俠氣聞。舉孝廉，除郎中，歷職內外，後為折衝校尉、虎賁中郎將。董卓之將廢帝，以術為後將軍；術亦畏卓之禍，出奔南陽。會長沙太守孫堅殺南陽太守張咨，術得據其郡。南陽戶口數百萬，而術奢淫肆欲，徵斂無度，百姓苦之。既與紹有隙，又與劉表不平而北連公孫瓚；紹與瓚不和而南連劉表。其兄弟攜貳，舍近交遠如此。引軍入陳留。太祖與紹合擊，大破術軍，術以餘眾奔九江，殺揚州刺史陳溫，領其州。以張勳、橋蕤等為大將軍。李傕入長安，欲結術為援，以術為左將軍，封陽翟侯，假節，遣太傅馬日磾因循行拜授。術奪日磾節，拘留不遣。

○七二〈張邈列傳〉（卷七）

張邈字孟卓，東平壽張人也。少以俠聞，振窮救急，傾家無愛，士多歸之。太祖、袁紹皆與邈友。辟公府，以高第拜騎都尉，遷陳留太守。董卓之亂，太祖與邈首舉義兵。汴水之戰，邈遣衛茲將兵隨太祖。袁紹既為盟主，有驕矜色，邈正議責紹。紹使太祖殺邈，太祖不聽，責紹曰：「孟卓，親友也，是非當容之。今天下未定，不宜自相危也。」邈知之，益德太祖。太祖之征陶謙，勑家曰：「我若不還，往依孟卓。」後還，見邈，垂泣相對。其親如此。

〇七三〈夏侯惇傳〉（卷九）

韓浩者，河內人。及沛國史渙與浩俱以忠勇顯。浩至中護軍，渙至中領軍，皆掌禁兵，封列侯㈠。

㈠《魏書》曰：韓浩字元嗣。漢末兵起，縣近山藪，多寇，浩聚徒眾為縣藩衛。太守王匡以為從事，將兵拒董卓于盟津。時浩舅杜陽為河陰令，卓執之，使招浩，浩不從。袁術聞而壯之，以為騎都尉。夏侯惇聞其名，請與相見，大奇之，使領兵從征伐。時大議損益，浩以為當急田。太祖善之，遷護軍。太祖欲討柳城，領軍史渙以為道遠深入，非完計也，欲與浩共諫。浩曰：「今兵勢彊盛，威加四海，戰勝攻取，無不如志，不以此時遂除天下之患，將為後憂。且公神武，舉無遺策，吾與君為中軍主，不宜沮眾。」遂從破柳城，改其官為中護軍，置長史、司馬。從討張魯，魯降。議者以浩智略足以綏邊，欲留使都督諸軍，鎮漢中。太祖曰：「吾安可以無護軍？」乃與俱還。其見親任如此。及薨，太祖愍惜之。無子，以養子榮嗣。史渙字公劉。少任俠，有雄氣。太祖初起，以客從，行中軍校尉，從征伐，常監諸將，見親信，轉拜中領軍。十四年薨。子靜嗣。

○七四〈夏侯淵傳〉（卷九）

淵妻，太祖內妹。長子衡，尚太祖弟海陽哀侯女，恩寵特隆。衡襲爵，轉封安寧亭侯。黃初中，賜中子霸，太和中，賜霸四弟，爵皆關內侯。霸，正始中為討蜀護軍右將軍，進封博昌亭侯，素為曹爽所厚。聞爽誅，自疑，亡入蜀。以淵舊勳赦霸子，徙樂浪郡。霸弟威，官至兗州刺史㈠。

㈠《世語》曰：威字季權，任俠。貴歷荊、兗二州刺史。子駿，并州刺史。次莊，淮南太守。莊子湛，字孝若，以才博文章，至南陽相、散騎常侍。莊，晉景陽皇后姊夫也。由此一門侈盛於時。

○七五〈荀攸傳〉（卷一〇）

攸與議郎鄭泰、何顒、侍中种輯、越騎校尉伍瓊等謀曰：「董卓無道，甚於桀紂，天下皆怒之，雖資彊兵，實一匹夫耳。今直刺殺之以謝百姓，然後據殽、函，輔王命，以號令天下，此桓文之舉也。」事垂就而覺，收顒、攸繫獄，顒憂懼自殺㈠，攸言論飲食自若，會卓死得免。

㈠張璠《漢紀》曰：顒字伯求，少與郭泰、賈彪等遊學洛陽，泰等與同風好。顒顯名太學，於是中朝名臣太傅陳蕃、司隸李膺等皆深接之。及黨事起，顒亦名在其中，乃變名姓亡匿汝南間，所至皆交結其豪桀。顒既奇太祖而知荀彧，袁紹慕之，與為奔走之友。是時天下士大夫多遇黨難，顒常歲再三私入洛陽，從紹計議，為諸窮窘之士解釋患禍。而袁術亦豪俠，與紹爭名。顒未常造術，術深恨之。

○七六〈王脩傳〉（卷一一）

王脩字叔治，北海營陵人也。年七歲喪母。母以社日亡，來歲鄰里社，脩感念母，哀甚。鄰里聞之，為之罷社。年二十，游學南陽，止張奉舍。奉舉家得疾病，無相視者，脩親隱恤之，病愈乃去。初平中，北海孔融召以為主簿，守高密令。高密孫氏素豪俠，人客數犯法。民有相劫者，賊入孫氏，吏不能執。脩將吏民圍之，孫氏拒守，吏民畏憚不敢近。脩令吏民：「敢有不攻者與同罪。」孫氏懼，乃出賊。由是豪彊懾服。舉孝廉，脩讓邴原，融不聽。時天下亂，遂不行。頃之，郡中有反者。脩聞融有難，夜往奔融。賊初發，融謂左右曰：「能冒難來，唯王脩耳！」言終而脩至。復署功曹。時膠東多賊寇，復令脩守膠東令。膠東人公沙盧宗彊，自為營塹，不肯應發調。脩獨將數騎徑入其門，斬盧兄弟，公沙氏驚愕莫敢動。脩撫慰其餘，由是寇少止。融每有難，脩雖休歸在家，無不至。融常賴脩以免。

○七七〈司馬芝傳〉（卷一二）

太祖平荊州，以芝為管長。時天下草創，多不奉法。郡主簿劉節，舊族豪俠，賓客千餘家，出為盜賊，入亂吏治。頃之，芝差節客王同等為兵，掾史據白：「節家前後未嘗給繇，若至時藏匿，必為留負。」芝不聽，與節書曰：「君為大宗，加股肱郡，而賓客每不與役，既眾庶怨望，或流聲上聞。今條同等為兵，幸時發遣。」兵已集郡，而節藏同等，因令督郵以軍興詭責縣，縣掾史窮困，乞代同行。芝乃馳檄濟南，具陳節罪。太守郝光素敬信芝，即以節代同行，青州號芝「以郡主簿為兵」。遷廣平令。征虜將軍劉勳，貴寵驕豪，又芝故郡將，賓客子弟在界數犯法。勳與芝書，不著姓名，而多所屬託，芝不報其書，一皆如法。後勳以不軌誅，交關者皆獲罪，而芝以見稱。

○七八〈劉曄傳〉（卷一四）

揚士多輕俠狡桀，有鄭寶、張多、許乾之屬，各擁部曲。寶最驍果，才力過人，一方所憚。欲驅略百姓越赴江表，以曄高族名人，欲彊逼曄使倡導此謀。曄時年二十餘，心內憂之，而未有緣。會太祖遣使詣州，有所案問。曄往見，為論事勢，要將與歸，駐止數日。寶果從數百人齎牛酒來候使，曄令家僮將其眾坐中門外，為設酒飯；與寶於內宴飲。密勒健兒，令因行觴而斫寶。寶性不甘酒，視候甚明，觴者不敢發。曄因自引取佩刀斫殺寶，斬其首以令其軍，云：「曹公有令，敢有動者，與寶同罪。」眾皆驚怖，走還營。營有督將精兵數千，懼其為亂，曄即乘寶馬，將家僮數人，詣寶營門，呼其渠帥，喻以禍福，皆叩頭開門內曄。曄撫慰安懷，咸悉悅服，推曄為主。曄覩漢室漸微，己為支屬，不欲擁兵，遂委其部曲與廬江太守劉勳。勳怪其故，曄曰：「寶無法制，其眾素以鈔略為利，僕宿無資，而整齊之，必懷怨難久，故相與耳。」時勳兵彊于江、淮之間。孫策惡之，遣使卑辭厚幣，以書說勳曰：「上繚宗民，數欺下國，忿之有年矣。擊之，路不便，願因大國伐之。上繚甚實，得之可以富國，請出兵為外援。」勳信之，又得策珠寶、葛越，喜悅。外內盡賀，而曄獨否。勳問其故，對曰：「上繚雖小，城堅池深，攻難守易，不可旬日而舉，則兵疲於外，而國內虛。策乘虛而襲我，後則不能獨守。是將軍進屈於敵，退無所歸。若軍必出，禍今至矣。」勳不從。興兵伐上繚，策果乘其後。勳窮蹴，遂奔太祖。

○七九〈李通傳〉（卷一八）

李通字文達，江夏平春人也。以俠聞於江、汝之間。與其郡人陳恭共起兵於朗陵，眾多歸之。時有周直者，眾二千餘家，與恭、通外和內違。通欲圖殺直而恭難之。通知恭無斷，乃獨定策，與直克會，酒酣殺直。眾人大擾，通率恭誅其黨帥，盡并其營。後恭妻弟陳郃，殺恭而據其眾。通攻破郃軍，斬郃首以祭恭墓。又生禽黃巾大帥吳霸而降其屬。遭歲大饑，通傾家振施，與士分糟糠，皆爭為用，由是盜賊不敢犯。

〇八〇〈許褚傳〉（卷一八）

太祖徇淮、汝，褚以眾歸太祖。太祖見而壯之曰：「此吾樊噲也。」即日拜都尉，引入宿衛。諸從褚俠客，皆以為虎士。從征張繡，先登，斬首萬計，遷校尉。從討袁紹於官渡。時常從士徐他等謀為逆，以褚常侍左右，憚之不敢發。伺褚休下日，他等懷刀入。褚至下舍心動，即還侍。他等不知，入帳見褚，大驚愕。他色變，褚覺之，即擊殺他等。太祖益親信之，出入同行，不離左右。從圍鄴，力戰有功，賜爵關內侯。從討韓遂、馬超於潼關。太祖將北渡，臨濟河，先渡兵，獨與褚及虎士百餘人留南岸斷後。超將步騎萬餘人，來奔太祖軍，矢下如雨。褚白太祖，賊來多，今兵渡已盡，宜去，乃扶太祖上船。賊戰急，軍爭濟，船重欲沒。褚斬攀船者，左手舉馬鞍蔽太祖。船工為流矢所中死，褚右手並泝船，僅乃得渡。是日，微褚幾危。其後太祖與遂、超等單馬會語，左右皆不得從，唯將褚。超負其力，陰欲前突太祖，素聞褚勇，疑從騎是褚。乃問太祖曰：「公有虎侯者安在？」太祖顧指褚，褚瞋目盼之。超不敢動，乃各罷。後數日會戰，大破超等，褚身斬首級，遷武衛中郎將。武衛之號，自此始也。軍中以褚力如虎而癡，故號曰虎癡；是以超問虎侯，至今天下稱焉，皆謂其姓名也。

〇八一〈典韋傳〉（卷一八）

典韋，陳留己吾人也。形貌魁梧，膂力過人，有志節任俠。襄邑劉氏與睢陽李永為讎，韋為報之。永故富春長，備衛甚謹。韋乘車載雞酒，偽為候者，門開，懷匕首入殺永，并殺其妻，徐出，取車上刀戟，步出。永居近市，一市盡駭。追者數百，莫敢近。行四五里，遇其伴，轉戰得脫。由是為豪傑所識。初平中，張邈舉義兵，韋為士，屬司馬趙寵。牙門旗長大，人莫能勝，韋一手建之，寵異其才力。後屬夏侯惇，數斬首有功，拜司馬。太祖討呂布於濮陽。布有別屯在濮陽西四五十里，太祖夜襲，比明破之。未及還，會布救兵至，三面掉戰。時布身自搏戰，自旦至日昳數十合，相持急。太祖募陷陳，韋先占，將應募者數十人，皆重衣兩鎧，棄楯，但持長矛撩戟。時西面又急，韋進當之，賊弓弩亂發，矢至如雨，韋不視，謂等人曰：「虜來十步，乃白之。」等人曰：「十步矣。」又曰：「五步乃白。」等人懼，疾言「虜至矣」！韋手持十餘戟，大呼起，所抵無不應手倒者。布眾退。會日暮，太祖乃得引去。拜韋都尉，引置左右，將親兵數百人，常繞大帳。韋既壯武，其所將皆選卒，每戰，常先登陷陣。遷為校尉。性忠至謹重，常晝立侍終日，夜宿帳左右，稀歸私寢。好酒食，飲噉兼人，每賜食於前，大飲長歠，左右相屬，數人益乃供，太祖壯之。韋好持大雙戟與長刀等，軍中為之語曰：「帳下壯士有典君，提一雙戟八十斤。」

○八二〈閻温傳〉（卷一八）

(一)《魏略·勇俠傳》載孫賓碩、祝公道、楊阿若、鮑出等四人，賓碩雖漢人，而魚豢編之魏書，蓋以其人接魏，事義相類故也。論其行節，皆龐、閻之流。其祝公道一人，已見賈逵傳。今列賓碩等三人于後。

孫賓碩者，北海人也，家素貧。當漢桓帝時，常侍左悺、唐衡等權侔人主。延熹中，衡弟為京兆虎牙都尉，秩比二千石，而統屬郡。衡弟初之官，不脩敬於京兆尹，入門不持版，郡功曹趙息呵廊下曰：「虎牙儀如屬城，何得放臂入府門？」促收其主簿。衡弟顧促取版，既入見尹，尹欲脩主人，勑外為市買。息又啟云：「左悺子弟，來為虎牙，非德選，不足為特酤買，宜隨中舍菜食而已。」及其到官，遣吏奉牋謝尹，息又勑門，言「無常見此無陰兒輩子弟邪，用其箋記為通乎？」晚乃通之，又不得即令報。衡弟皆知之，甚恚，欲滅諸趙。因書與衡，求為京兆尹，旬月之間，得為之。息自知前過，乃逃走。時息從父仲臺，見為涼州刺史，於是衡為詔徵仲臺，遣歸。遂詔中都官及都部督郵，捕諸趙尺兒以上，及仲臺皆殺之，有藏者與同罪時息從父岐為皮氏長，聞有家禍，因從官舍逃，走之河間，變姓字，又轉詣北海，著絮巾布袴，常於市中販胡餅。賓碩時年二十餘，乘犢車，將騎入市。觀見岐，疑其非常人也。因問之曰：「自有餅邪，販之邪？」岐曰：「販之。」賓碩曰：「買幾錢？賣幾錢？」岐曰：「買三十，賣亦三十。」賓碩曰：「視處士之望，非似賣餅者，殆有故！」乃開車後戶，顧所將兩騎，令下馬扶上之。時岐以為是唐氏耳目也，甚怖，面失色。賓碩閉車後戶，下前襜，謂之曰：「視處士狀貌，既非販餅者，如今面色變動，即不有重怨，則當亡命。我北海孫賓碩也，闔門百口，又有百歲老母在堂，勢能相度者也，終不相負，必語我以實。」岐乃具告之。賓碩遂載岐驅歸。住車門外，先入，白母言：「今日出得死友在外，當來入拜。」乃出，延岐入，椎牛鍾酒，快相娛樂。一二日，因載著別田舍，藏置複壁中。後數歲，唐衡及弟皆死。岐乃得出，還本郡。三府並辟，展轉仕進，至郡守、刺史、太僕，而賓碩亦從此顯名於東國，仕至豫州刺史。初平末，賓碩以東方饑荒，南客荊州。至興平中，趙岐以太僕持節使安慰天下，南詣荊州，乃復與賓碩相遇，相對流涕。岐為劉表陳其本末，由是益禮賓碩。頃之，賓碩病亡，岐在南，為行喪也。楊阿若後名豐，字伯陽，酒泉人。少**遊俠**，常以報仇解怨為事，故時人為之號曰：「東市相斫楊阿若，西市相斫楊阿若。」至建安年中，太守徐揖誅郡中彊族黃氏。時黃昂得脫在外，乃以其家粟金數斛，募眾得千餘人以攻揖。揖城守。豐時在外，以昂為不義，乃告揖，捐妻子走詣張掖求救。會張掖又反，殺太守，而昂亦陷城殺揖，二郡合勢。昂恚豐不與己同，乃重募取豐，欲令張掖以麻繫豐頭，生致之。豐遂逃走。武威太守張猛假豐為都尉，使齎檄告酒泉，聽豐為揖報讎。豐遂單騎入南羌中，合眾得千餘騎，從南山中出，指趨郡城。未到三十里，皆令騎下馬，曳柴揚塵。酒泉郡人望見塵起，以為東大兵到，遂破散。昂獨走出，羌捕得昂，豐謂昂曰：「卿前欲生繫我頸，今反為我所繫，云何？」昂謝愆，豐遂殺之。時黃華在東，又還領郡。豐畏華，復走依敦煌。至黃初中，河西興復，黃華降，豐乃還郡。郡舉孝廉，州表其義勇，詔即拜駙馬都尉。後二十餘年，病亡。

鮑出字文才，京兆新豐人也。少遊**俠**。興平中，三輔亂，出與老母兄弟五人家居本縣，以饑餓，留其母守舍，相將行採蓬實，合得數升，使其二兄初、雅及其弟成持歸，為母作食，獨與小弟在後採蓬。初等到家，而啖人賊數十人已略其母，以繩貫其手掌，驅去。初等怖恐，不敢追逐。須臾，出從後到，知母為賊所略，欲追賊。兄弟皆云：「賊眾，當如何？」出怒曰：「有母而使賊貫其手，將去煮啖之，用活何為？」乃攘臂結衽獨追之，行數里及賊。賊望見出，乃共布列待之。出到，回從一頭斫賊四五人。賊走，復合聚圍出，出跳越圍斫之，又殺十餘人。時賊分布，驅出母前去。賊連擊出，不勝，乃走與前輩合。出復追擊之，還見其母與比舍嫗同貫相連，出遂復奮擊賊。賊問出曰：「卿欲何得？」出責數賊，指其母以示之，賊乃解還出母。比舍嫗獨不解，遙望出求哀。出復斫賊，賊謂出曰：「已還卿母，何為不止？」出又指求哀嫗：「此我嫂也。」賊復解還之。出得母還，遂相扶侍，客南陽。建安五年，關中始開，出來北歸，而其母不能步行，兄弟欲共輿之。出以輿車歷山險危，不如負之安穩，乃以籠盛其母，獨自負之，到鄉里。鄉里士大夫嘉其孝烈，欲薦州郡，郡辟召出，出曰：「田民不堪冠帶。」至青龍中，母年百餘歲乃終，出時年七十餘，行喪如禮，於今年八九十，才若五六十者。

魚豢曰：昔孔子歎顏回，以為三月不違仁者，蓋觀其心耳，孰如孫、祝菜色於市里，顛倒於牢獄，據有實事哉？且夫濮陽周氏不敢匿迹，魯之朱家不問情實，是何也？懼禍之及，且心不安也。而太史公猶貴其竟脫季布，豈若二賢，厥義多乎？今故遠收孫、祝，而近錄楊、鮑，既不欲其泯滅，且敦薄俗。至於鮑出，不染禮教，心痛意發，起於自然，跡雖在編戶，與篤烈君子何以異乎？若夫楊阿若，少稱任**俠**，長遂蹈義，自西徂東，摧討逆節，可謂勇力而有仁者也。

○八三〈王粲傳〉（卷二一）

時又有譙郡嵇康，文辭壯麗，好言老、莊，而尚奇任**俠**。至景元中，坐事誅。

○八四〈諸葛誕傳〉（卷二八）

誕既與（夏侯）玄、（鄧）颺等至親，又王淩、毌丘儉累見夷滅，懼不自安，傾帑藏振施以結眾心，厚養親附及揚州輕**俠**者數千人為死士。甘露元年冬，吳賊欲向徐堨，計誕所督兵馬足以待之，而復請十萬眾守壽春，又求臨淮築城以備寇，內欲保有淮南。朝廷微知誕有自疑心，以誕舊臣，欲入度之。二年五月，徵為司空。誕被詔書，愈恐，遂反。召會諸將，自出攻揚州刺史樂綝，殺之。斂淮南及淮北郡縣屯田口十餘萬官兵，揚州新附勝兵者四五萬人，聚穀足一年食，閉城自守。遣長史吳綱將小子靚至吳請救。吳人大喜，遣將全懌、全端、唐咨、王祚等，率三萬眾，密與文欽俱來應誕。以誕為左都護、假節、大司徒、驃騎將軍、青州牧、壽春侯。是時鎮南將軍王基始至，督諸軍圍壽春，未合。咨、欽等從城東北，因山乘險，得將其眾突入城。

《三國志・蜀書》

○八五〈先主傳〉（卷三二）

先主（劉備）少孤，與母販履織席為業。舍東南角籬上有桑樹生高五丈餘，遙望見童童如小車蓋，往來者皆怪此樹非凡，或謂當出貴人。先主少時，與宗中諸小兒於樹下戲，言：「吾必當乘此羽葆蓋車。」叔父子敬謂曰：「汝勿妄語，滅吾門也！」年十五，母使行學，與同宗劉德然、遼西公孫瓚俱事故九江太守同郡盧植。德然父元起常資給先主，與德然等。元起妻曰：「各自一家，何能常爾邪！」起曰：「吾宗中有此兒，非常人也。」而瓚深與先主相友。瓚年長，先主以兄事之。先主不甚樂讀書，喜狗馬、音樂、美衣服。身長七尺五寸，垂手下膝，顧自見其耳。少語言，善下人，喜怒不形於色。好交結豪**俠**，年少爭附之。中山大商張世平、蘇雙等貲累千金，販馬周旋於涿郡，見而異之，乃多與之金財。先主由是得用合徒眾。

○八六〈諸葛亮傳〉（卷三五）

俄而表卒，琮聞曹公來征，遣使請降。先主在樊聞之，率其眾南行，亮與徐庶並從，為曹公所追破，獲庶母。庶辭先主而指其心曰：「本欲與將軍共圖王霸之業者，以此方寸之地也。今已失老母，方寸亂矣，無益於事，請從此別。」遂詣曹公㈠。

㈠《魏略》曰：庶先名福，本單家子，少好任俠擊劍。中平末，嘗為人報讎，白堊突面，被髮而走，為吏所得，問其姓名，閉口不言。吏乃於車上立柱維磔之，擊鼓以令於市鄽，莫敢識者，而其黨伍共篡解之，得脫。於是感激，棄其刀戟，更疎巾單衣，折節學問。始詣精舍，諸生聞其前作賊，不肯與共止。福乃卑躬早起，常獨掃除，動靜先意，聽習經業，義理精熟。遂與同郡石韜相親愛。初平中，中州兵起，乃與韜南客荊州，到，又與諸葛亮特相善。及荊州內附，孔明與劉備相隨去，福與韜俱來北。至黃初中，韜仕歷郡守、典農校尉，福至右中郎將、御史中丞。逮大和中，諸葛亮出隴右，聞元直、廣元仕財如此，歎曰：「魏殊多士邪！何彼二人不見用乎？」庶後數年病卒，有碑在彭城，今猶存焉。

○八七〈楊戲傳〉（卷四五）

壹（吳子遠）族弟班，字元雄，大將軍何進官屬吳匡之子也。以豪俠稱，官位常與壹相亞。先主時，為領軍。後主世，稍遷至驃騎將軍，假節，封緜竹侯。

《三國志·吳書》

〇八八〈吳主傳〉（卷四七）

孫權字仲謀。兄策既定諸郡，時權年十五，以為陽羨長㈠。郡察孝廉，州舉茂才，行奉義校尉。漢以策遠修職貢，遣使者劉琬加錫命。琬語人曰：「吾觀孫氏兄弟雖各才秀明達，然皆祿祚不終，惟中弟孝廉，形貌奇偉，骨體不恆，有大貴之表，年又最壽，爾試識之。」

㈠《江表傳》曰：堅為下邳丞時，權生，方頤大口，目有精光，堅異之，以為有貴象。及堅亡，策起事江東，權常隨從。性度弘朗，仁而多斷，好俠養士，始有知名，侔於父兄矣。每參同計謀，策甚奇之，自以為不及也。每請會賓客，常顧權曰：「此諸君，汝之將也。」

〇八九〈魯肅傳〉（卷五四）

周瑜為居巢長，將數百人故過候肅，并求資糧。肅家有兩囷米，各三千斛，肅乃指一囷與周瑜，瑜益知其奇也，遂相親結，定僑札之分。袁術聞其名，就署東城長。肅見術無綱紀，不足與立事，乃攜老弱將輕**俠**少年百餘人，南到居巢就瑜。瑜之東渡，因與同行，留家曲阿。會祖母亡，還葬東城。

〇九〇〈甘寧傳〉（卷五五）

甘寧字興霸，巴郡臨江人也。少有氣力，好游**俠**，招合輕薄少年，為之渠帥；群聚相隨，挾持弓弩，負毦帶鈴，民聞鈴聲，即知是寧。㈠人與相逢，及屬城長吏，接待隆厚者乃與交歡；不爾，即放所將奪其資貨，於長吏界中有所賊害，作其發負，至二十餘年。止不攻劫，頗讀諸子，乃往依劉表，因居南陽，不見進用，後轉托黃祖，祖又以凡人畜之。

㈠《吳書》曰：寧輕**俠**殺人，臧舍亡命，聞於郡中。其出入，步則陳車騎，水則連輕舟，侍從被文繡，所如光道路，住止常以繒錦維舟，去或割棄，以示奢也。

○九一〈凌統傳〉（卷五五）

凌統字公績，吳郡餘杭人也。父操，輕俠有膽氣，孫策初興，每從征伐，常冠軍履鋒。守永平長，平治山越，姦猾斂手，遷破賊校尉。及權統軍，從討江夏。入夏口，先登，破其前鋒，輕舟獨進，中流矢死。

○九二〈賀齊傳〉（卷六〇）

賀齊字公苗，會稽山陰人也。少為郡吏，守剡長。縣吏斯從輕俠為奸，齊欲治之，主簿諫曰：「從，縣大族，山越所附，今日治之，明日寇至。」齊聞大怒，便立斬從。從族黨遂相糾合，眾千餘人，舉兵攻縣。齊率吏民，開城門突擊，大破之，威震山越。後太末、豐浦民反，轉守太末長，誅惡養善，期月盡平。

《晉　書》

〇九三〈石苞列傳〉（卷三三）

崇（石苞子）穎悟有才氣，而任**俠**無行檢。在荊州，劫遠使商客，致富不貲。徵為大司農，以徵書未至擅去官免。頃之，拜太僕，出為征虜將軍，假節、監徐州諸軍事，鎮下邳。崇有別館在河陽之金谷，一名梓澤，送者傾都，帳飲於此焉。至鎮，與徐州刺史高誕爭酒相侮，為軍司所奏，免官。復拜衛尉，與潘岳諂事賈謐。謐與之親善，號曰「二十四友」。廣城君每出，崇降車路左，望塵而拜，其卑佞如此。

〇九四〈裴秀列傳〉（卷三五）

A

憲（裴秀子頠，秀從弟楷，楷子憲）字景思。少而穎悟，好交輕**俠**。及弱冠，更折節嚴重，修尚儒學，足不踰閾者數年。陳郡謝鯤、潁川庾敳皆儁朗士也，見而奇之，相謂曰：「裴憲鯁亮宏達，通機識命，不知其何如父；至於深弘保素，不以世物嬰心者，其殆過之。」

B

　　及季龍之世，彌加禮重。憲有二子：挹、轂，並以文才知名。轂仕季龍為太子中庶子、散騎常侍。挹、轂俱豪**俠**耽酒，好臧否人物。與河閒邢魚有隙，魚竊乘轂馬奔段遼，為人所獲，使魚誣轂已以季龍當襲鮮卑，告之為備。時季龍適謀伐遼，而與魚辭正會。季龍悉誅挹、轂，憲亦坐免。未幾，復以為右光祿大夫、司徒、太傅，封安定郡公。

〇九五〈宗室傳〉（卷三七）

　　庾翼之鎮襄陽，以梁州刺史援桓宣卒，請勳代之。初屯西城，退守武當。時石季龍死，中國亂，雍州諸豪帥馳告勳。勳率眾出駱谷，壁于懸鉤，去長安二百里，遣部將劉煥攻長安，又拔賀城。於是關中皆殺季龍太守令長以應勳。勳兵少，未能自固，復還涼州。永和中，張琚據隴東，遣使招勳，勳復入長安。初，京兆人杜洪以豪族陵琚，琚以勇**俠**侮洪，洪知勳憚琚兵彊，因說勳曰：「不殺張琚，關中非國家有也。」勳乃偽請琚，於坐殺之。琚弟走池陽，合眾攻勳，頻戰不利，請和，歸梁州。後桓溫伐關中，命勳出子午道，而為苻雄所敗，退屯于女媧堡。

○九六〈王戎列傳〉（卷四三）

A

衍妻郭氏，賈后之親，藉中宮之勢，剛愎貪戾，聚斂無厭，好干預人事，衍患之而不能禁。時有鄉人幽州刺史李陽，京師大**俠**也，郭氏素憚之。衍謂郭曰：「非但我言卿不可，李陽亦謂不可。」郭氏為之小損。衍疾郭之貪鄙，故口未嘗言錢。郭欲試之，令婢以錢繞牀，使不得行。衍晨起見錢，謂婢曰：「舉阿堵物！」其措意如此。

B

惠帝末，衍白越以澄（王衍弟）為荊州刺史、持節、都督，領南蠻校尉，敦為青州。衍因問以方略，敦曰：「當臨事制變，不可豫論。」澄辭義鋒出，算略無方，一坐嗟服。澄將之鎮，送者傾朝。澄見樹上鵲巢，便脫衣上樹，探鷇而弄之，神氣蕭然，傍若無人。劉琨謂澄曰：「卿形雖散朗，而內實動**俠**，以此處世，難得其死。」澄默然不答。

○九七〈張載列傳〉（卷五五）

載又為〈榷論〉曰：夫賢人君子將立天下之功，成天下之名，非遇其時，曷由致之哉！故嘗試論之：殷湯無鳴條之事，則伊尹，有莘之匹夫也；周武無牧野之陣，則呂牙，渭濱之釣翁也。若茲之類，不可勝紀。蓋聲發響應，形動影從，時平則才伏，世亂則奇用，豈不信歟！設使秦莽修三王之法，時致隆平，則漢祖，泗上之健吏；光武，舂陵之俠客耳，況乎附麗者哉！故當其有事也，則足非千里，不入於輿；刃非斬鴻，不韜於鞘。是以駑蹇望風而退，頑鈍未試而廢。及其無事也，則牛驥共牢，利鈍齊列，而無長塗犀革以決之，此離朱與瞽者同眼之說也。處守平之世，而欲建殊常之勳，居太平之際，而吐違俗之謀，此猶卻步而登山，鬻章甫於越也。漢文帝見李廣而歎曰：「惜子不遇，當高帝時，萬戶侯豈足道哉！」故智無所運其籌，勇無所奮其氣，則勇怯一也；才無所騁其能，辯無所展其說，則頑慧均也。是以吳榜越船，不能無水而浮；青虬赤螭，不能無雲而飛。故和璧之在荊山，隨珠之潛重川，非遇其人，焉有連城之價，照車之名乎！青骹繁霜，縶於籠中，何以效其搏東郭於韝下也？白猨玄豹，藏於欄檻，何以知其接垂條於千仞也？孱夫與烏獲訟力，非龍文赤鼎，無以明之；蓋聶政與荊卿爭勇，非強秦之威，孰能辨之？故餓夫庸隸，抱關屠釣之倫，一旦而都卿相之位，建金石之號者，或有懷顏孟之術，抱伊管之略，沒世而不齒者，此言有事之世易為功，無為之時難為名也。若斯湮滅而不稱，曾不足以多說。況夫庸庸之徒，少有不得意者，則自以為枉伏。莫不飾小辯、立小善以偶時，結朋黨、聚虛譽以驅俗。進之無補於時，退之無損於化。而世主相與雷同齊口，吹而呴之，豈不哀哉！今士循常習故，規行矩步，積階級，累閥閱，碌碌然以取世資。若夫魁梧？傑，卓躒俶儻之徒，直將伏死嶔岑之下，安能與步驟共爭道里乎！至如軒冕黻班之士，苟不能匡化輔政，佐時益世，而徒俯仰取容，要榮求利，厚自封之資，豐私家之積，此沐猴而冠耳，尚焉足道哉！

○九八〈周處列傳〉（卷五八）

勰（周處孫）字彥和。常緘父言。時中國亡官失守之士避亂來者，多居顯位，駕御吳人，吳人頗怨。勰因之欲起兵，潛結吳興郡功曹徐馥。馥家有部曲，勰使馥矯稱叔父札命以合眾，豪俠樂亂者翕然附之，以討王導、刁協為名。孫皓族人弼亦起兵於廣德以應之。馥殺吳興太守袁琇，有眾數千，將奉札為主。時札以疾歸家，聞而大驚，乃告亂於義興太守孔侃。勰知札不同，不敢發兵。馥黨懼，攻馥，殺之。孫弼眾亦潰，宣城太守陶猷滅之。元帝以周氏奕世豪望，吳人所宗，故不窮治，撫之如舊。勰為札所責，失志歸家，淫侈縱恣，每謂人曰：「人生幾時，但當快意耳。」終於臨淮太守。

○九九〈汝南文成王亮列傳〉（卷五九）

（汝南王亮之子）宗與王導、庾亮志趣不同，連結輕俠，以為腹心，導、亮並以為言。帝以宗戚屬，每容之。及帝疾篤，宗、胤密謀為亂，亮排闥入，升御牀，流涕言之，帝始悟。轉為驃騎將軍。胤為大宗正。宗遂怨望形於辭色。咸和初，御史中丞鍾雅劾宗謀反，庾亮使右衛將軍趙胤收之。宗以兵距戰，為胤所殺，貶其族為馬氏，徙妻子于晉安，既而原之。三子：綽、超、演，廢為庶人。咸康中，復其屬籍。綽為奉車都尉、奉朝請。

一〇〇〈牽秀列傳〉（卷六〇）

牽秀字成叔，武邑觀津人也。祖招，魏雁門太守。秀博辯有文才，性豪**俠**，弱冠得美名，為太保衛瓘、尚書崔洪所知。太康中，調補新安令，累遷司空從事中郎。與帝舅王愷素相輕侮，愷諷司隸荀愷奏秀夜在道中載高平國守士田興妻。秀即表訴被誣，論愷穢行，文辭亢厲，以譏抵外戚。于時朝臣雖多證明其行，而秀盛名美譽由是而損，遂坐免官。後司空張華請為長史。

一〇一〈周浚列傳〉（卷六一）

嵩（周浚子）字仲智，狷直果**俠**，每以才氣淩物。元帝作相，引為參軍。及帝為晉王，又拜奉朝請。嵩上疏曰：「臣聞取天下者，常以無事。及其有事，不足以取天下。故古之王者，必應天順時，義全而後取，讓成而後得，是以享世長久，重光萬載也。今議者以殿下化流江漢，澤被六州，功濟蒼生，欲推崇尊號。臣謂今梓宮未反，舊京未清，義夫泣血，士女震動；宜深明周公之道，先雪社稷大恥，盡忠言嘉謀之助，以時濟弘仁之功，崇謙謙之美，推後己之誠；然後揖讓以謝天下，誰敢不應，誰敢不從！」由是忤旨，出為新安太守。

一〇二〈祖逖列傳〉（卷六二）

祖逖字士稚，范陽遒人也。世吏二千石，為北州舊姓。父武，晉王掾、上谷太守。逖少孤，兄弟六人。兄該、納等並開爽有才幹。逖性豁蕩，不修儀檢，年十四五猶未知書，諸兄每憂之。然輕財好**俠**，慷慨有節尚，每至田舍，輒稱兄意，散穀帛以賙貧乏，鄉黨宗族以是重之。後乃博覽書記，該涉古今，往來京師，見者謂逖有贊世才具。僑居陽平。年二十四，陽平辟察孝廉，司隸再辟舉秀才，皆不行。與司空劉琨俱為司州主簿，情好綢繆，共被同寢。中夜聞荒雞鳴，蹴琨覺曰：「此非惡聲也。」因起舞。逖、琨並有英氣，每語世事，或中宵起坐，相謂曰：「若四海鼎沸，豪傑並起，吾與足下當相避于中原耳。」

一〇三〈王導列傳〉（卷六五）

A

初，劉裕為布衣，眾未之識也，惟（王導孫）謐獨奇貴之，嘗謂裕曰：「卿當為一代英雄。」及裕破桓玄，謐以本官加侍中，領揚州刺史、錄尚書事。謐既受寵桓氏，常不自安。護軍將軍劉毅嘗問謐曰：「璽綬何在？」謐益懼。會王綏以桓氏甥自疑，謀反，父子兄弟皆伏誅。謐從弟諶，少驍果輕**俠**，欲誘謐還吳，起兵為亂，乃說謐曰：「王綏無罪，而義旗誅之，是除時望也。兄少立名譽，加位地如此，欲不危，得乎！」謐懼而出奔。劉裕牋詣大將軍。武陵王遵，遣人追躡。謐既還，委任如先，加謐班劒二十人。義熙三年卒，時年四十八，追贈侍中、司徒，謚曰文恭。三子：瓘、球、琇。入宋，皆至大官。

B

子歆（王導子薈，薈子歆），歷太子中庶子、司徒左長史。以母喪，居于吳。王恭舉兵，假歆建武將軍、吳國內史，令起軍，助為聲援。歆即墨絰合眾，誅殺異己，仍遣前吳國內史虞嘯父等入吳興、義興聚兵，輕**俠**赴者萬計。歆自謂義兵一動，勢必未寧，可乘間而取富貴。而曾不旬日，國寶賜死，恭罷兵符，歆去職。歆大怒，迴眾討恭。恭遣司馬劉牢之距戰于曲阿，歆眾潰奔走，遂不知所在。長子泰為恭所殺，少子華以不知歆存亡，憂毀布衣蔬食。後從兄謐言其死所，華始發喪，入仕。

一〇四〈戴若思列傳〉（卷六九）

戴若思，廣陵人也，名犯高祖廟諱。祖烈，吳左將軍。父昌，會稽太守。若思有風儀，性閑爽，少好遊**俠**，不拘操行。遇陸機赴洛，船裝甚盛，遂與其徒掠之。若思登岸，據胡，指麾同旅，皆得其宜。機察見之，知非常人，在舫屋上遙謂之曰：「卿才器如此，乃復作劫邪！」若思感悟，因流涕，投劒就之。機與言，深加賞異，遂與定交焉。

一〇五〈張闓列傳〉（卷七六）

史臣曰：季孫行父稱見有禮於其君者，如孝子之養父母；無禮於其君者，如鷹鸇之逐鳥雀。是以石碏戮厚，叔向誅鮒，前史以為美譚。王敦之惡，不足矜其類。然而朱家容布，為大俠之首；酈寄載呂，興賣友之譏。亦所以激揚風俗，弘長名教。王彬艤船而厚其所薄，王舒沈江而薄其所厚，較之優劣，斷乎可知。思行、彪之厲風規於多僻之日，虞潭、顧眾徇貞心於危慼之辰。龍筦為出納之端，鬻魚非獻替之術，嘯父之對，何其鄙歟！

一〇六〈王彌列傳〉（卷一〇〇）

王彌，東萊人也。家世二千石。祖頎，魏玄菟太守，武帝時，至汝南太守。彌有才幹，博涉書記。少游俠京都，隱者董仲道見而謂之曰：「君豺聲豹視，好亂樂禍，若天下騷擾，不作士大夫矣。」

一〇七〈石勒載記〉（卷一〇五）

清河張披為程遐長史，遐甚委昵之，張賓舉為別駕，引參政事。遐疾披去已，又惡賓之權盛。勒世子弘，即遐之甥也，自以有援，欲收威重於朝，乃使弘之母譖之曰：「張披與張賓為游**俠**，門客日百餘乘，物望皆歸之，非社稷之利也，宜除披以便國家。」勒然之。至是，披取急召不時至，因此遂殺之。賓知遐之間己，遂弗敢請。無幾，以遐為右長史，總執朝政，自是朝臣莫不震懼，赴于程氏矣。

一〇八〈苻登載記〉（卷一一五）

索泮字德林，敦煌人也。世為冠族。泮少時游**俠**，及長，變節好學，有佐世才器。張天錫輔政，以泮為冠軍、記室參軍。天錫即位，拜司兵，歷位禁中錄事。執法御掾，州府肅然，郡縣改。遷羽林左監，有勤幹之稱。出為中壘將軍、西郡武威太守、典戎校尉。政務寬和，戎夏懷其惠，天錫甚敬之。苻堅見而歎曰：「涼州信多君子！」既而以泮河西德望，拜別駕。

一〇九〈李流載記〉（卷一二〇）

（李庠）以洛陽方亂，稱疾去官。性在任**俠**，好濟人之難，州黨爭附之。與六郡流人避難梁益，道路有飢病者，庠常營護隱恤，振施窮乏，大收眾心。至蜀，趙廞深器之，與論兵法，無不稱善，每謂所親曰：「李玄序蓋亦一時之關張也。」及將有異志，委以心膂之任，乃表庠為部曲督，使招合六郡壯勇，至萬餘人。以討叛羌功，表庠為威寇將軍，假赤幢曲蓋，封陽泉亭侯，賜錢百萬，馬五十匹。被誅之日，六郡士庶莫不流涕，時年五十五。

一一〇〈馮跋載記〉（卷一二五）

A

馮跋字文起，長樂信都人也，小字乞直伐，其先畢萬之後也。萬之子孫有食采馮鄉者，因以氏焉。永嘉之亂，跋祖父和避地上黨。父安，雄武有器量，慕容永時為將軍。永滅，跋東徙和龍，家于長谷。幼而懿重少言，寬仁有大度，飲酒一石不亂。三弟（素弗、丕、洪）皆任**俠**，不修行業，惟跋恭慎，勤於家產，父母器之。所居上每有雲氣若樓閣，時咸異之。嘗夜見天門開，神光赫然燭於庭內。及慕容寶僭號，署中衛將軍。

B

馮素弗，跋之長弟也。慷慨有大志，姿貌魁偉，雄傑不群，任**俠**放蕩，不修小節，故時人未之奇，惟王齊異焉，曰：「撥亂才也。」惟交結時豪為務，不以產業經懷。弱冠，自詣慕容熙尚書左丞韓業請婚，業怒而距之。復求尚書郎高邵女，邵亦弗許。南宮令成藻，豪俊有高名，素弗造焉，藻命門者勿納。素弗逕入，與藻對坐，旁若無人。談飲連日，藻始奇之，曰：「吾遠求騏驥，不知近在東鄰，何識子之晚也！」當世**俠**士莫不歸之。及熙僭號，為侍御郎、小帳下督。

《宋　書》

一一一〈武帝本紀〉（卷二）

平西將軍、荊州刺史司馬休之，宗室之重，又得江漢人心，公疑其有異志，而休之兄子譙王文思在京師，招集輕**俠**，公執文思送還休之，令自為其所。休之表廢文思，并與公書陳謝。十一年正月，公收休之子文寶、兄子文祖，並於獄賜死，率衆軍西討。復加黃鉞，領荊州刺史。辛巳，發京師，以中軍將軍道憐監留府事。

一一二〈孟懷玉列傳〉（卷四七）

龍符，懷玉弟也。驍果有膽氣，幹力絕人。少好游**俠**，結客於閭里。早為高祖所知，既克京城，以龍符為建武參軍。江乘、羅落、覆舟三戰，並有功。參鎮軍軍事，封平昌縣五等子，加寧遠將軍、淮陵太守。與劉藩、向彌征桓歆、桓石康，破斬之。除建威將軍、東海太守。索虜斛蘭、索度真侵邊，彭、沛騷擾，高祖遣龍符、建威將軍道憐北討，一戰破之。追斛蘭至光水溝邊，被創奔走。

《南齊書》

一一三〈劉繪列傳〉（卷四八）

遭母喪去官。有至性，持喪墓下三年，食麤糲。服闋，為寧朔將軍、晉安王征北長史、南東海太守，行南徐州事。繪雖豪俠，常惡武事，雅善博射，未嘗跨馬。兄悛之亡，朝議贈平北將軍、雍州刺史，詔書已出，繪請尚書令徐孝嗣改之。

《梁 書》

一一四〈鄧元起列傳〉（卷一〇）

鄧元起字仲居，南郡當陽人也。少有膽幹，膂力過人。性任**俠**，好賑施，鄉里年少多附之。起家州辟議曹從事史，轉奉朝請。雍州刺史蕭緬板為槐里令。遷弘農太守、平西軍事。時西陽馬榮率眾緣江寇抄，商旅斷絕，刺史蕭遙欣使元起率眾討平之。遷武寧太守。

一一五〈張充列傳〉（卷二十一）

起家撫軍行參軍，遷太子舍人、尚書殿中郎、武陵王友。時尚書令王儉當朝用事，武帝皆取決焉。武帝嘗欲以充父緒為尚書僕射，訪於儉，儉對曰：「張緒少有清望，誠美選也；然東士比無所執，緒諸子又多薄行，臣謂此宜詳擇。」帝遂止。先是充兄弟皆輕**俠**，充少時又不護細行，故儉言之。充聞而慍，因與儉書曰：

吳國男子張充致書於瑯琊王君侯侍者：頃日路長，愁霖韜晦，涼暑未平，想無虧攝。充幸以魚釣之閑，鎌採之暇，時復以卷軸自娛，逍遙前史。縱橫萬古，動默之路多端；紛綸百年，昇降之徒不一。故以圓行方止，器之異也；金剛水柔，性之別也。善御性者，不違金水之質；善爲器者，不易方圓之用。所以北海掛簪帶之高，河南降璽言之貴。充生平少偶，不以利欲干懷，三十六年，差得以棲貧自澹。介然之志，峭聳霜崖；確乎之情，峰橫海岸。彯纓天閣，既謝廊廟之華；綴組雲臺，終慙衣冠之秀。所以擯跡江皐，陽狂隴畔者，實由氣岸疏凝，情塗猖隔。獨師懷抱，不見許於俗人；孤秀神崖，每邅回於在世。故君山直上，蹙壓於當年；叔陽敻舉，轗軻乎千載。充所以長群魚鳥，畢影松阿。半頃之田，足以輸稅；五畝之宅，樹以桑麻。嘯歌於川澤之間，諷咏於澠池之上，泛濫於漁父之遊，偃息於卜居之下。如此而已，充何識焉。若夫驚巖罩日，壯海逢天；竦石崩尋，分危落仞。桂蘭綺靡，叢雜於山幽；松柏森陰，相繚於澗曲。元卿於是乎不歸，伯休亦以玆長往。若迺飛竿釣渚，濯足滄洲；獨浪煙霞，高臥風月。悠悠琴酒，岫遠誰來；灼灼文談，空罷方寸。不覺鬱然千里，路阻江川。每至西風，何嘗不眷？聊因疾隙，略舉諸襟；持此片言，輕枉高聽。丈人歲路未彊，學優而仕；道佐蒼生，功橫海望。入朝則協長倩之誠，出議則抗仲子之節。可謂盛德維時，孤松獨秀者也。素履未詳，斯旅尚眇。茂陵之彥，望冠蓋而長懷；霸山之氓，佇衣車而聳歎。得無惜乎？若鴻裝撰御，鶴駕軒空，則岸不辭枯，山被其潤。奇禽異羽，或巖際而逢迎；弱霧輕煙，乍林端而奄藹。東都不足奇，南山豈爲貴。充昆西之百姓，岱表之一民。蠶而衣，耕且食，不能事王侯，覓知己，造時人，騁遊說，蓬轉於屠博之間，其歡甚矣。丈人早遇承華，中逢崇禮。肆上之眷，望溢於早辰；鄉下之言，謬延於造次。然舉世皆謂充爲狂，充亦何能與諸君道之哉？是以披聞見，掃心胸，述平生，論語默，所以通夢交魂，推衿送抱者，其惟丈人而已。關山敻阻，書罷莫因，儻遇樵者，妄塵執事。

儉言之武帝，免充官，廢處久之。後為司徒諮議參軍，與琅琊王思遠、同郡陸慧曉等，並為司徒竟陵王賓客。入為中書侍郎，尋轉給事黃門侍郎。

一一六〈裴邃列傳〉（卷二八）

（裴）之橫字如岳，之高第十三弟也。少好賓遊，重氣俠，不事產業。之高以其縱誕，乃為狹被蔬食以激厲之。之橫歎曰：「大丈夫富貴，必作百幅被。」遂與僮屬數百人，於芍陂大營田墅，遂致殷積。太宗在東宮，聞而要之，以為河東王常侍、直殿主帥，遷直閤將軍。侯景亂，出為貞威將軍，隸鄱陽王範討景。景濟江，仍與範長子嗣入援。連營度淮，據東城。京都陷，退還合肥，與範泝流赴湓城。景遣任約上逼晉熙，範令之橫下援，未及至，範薨，之橫乃還。

一一七〈良吏列傳〉（卷五三）

頊之，遷武昌太守。（何）遠本倜儻，尚輕俠，至是乃折節為吏，杜絕交遊，饋遺秋毫無所受。武昌俗皆汲江水，盛夏遠患水溫，每以錢買民井寒水，不取錢者，則摙水還之。其佗事率多如此。跡雖似偽，而能委曲用意焉。車服尤弊素，器物無銅漆。江左多水族，甚賤，遠每食不過乾魚數片而已。然性剛嚴，吏民多以細事受鞭罰者，遂為人所訟，徵下廷尉，被劾數十條。當時士大夫坐法，皆不受立，遠度己無贓，就立三七日不款，猶以私藏禁仗除名。

《陳書》

二一八〈杜僧明列傳〉（卷八）

杜僧明字弘照，廣陵臨澤人也。形貌眇小，而膽氣過人，有勇力，善騎射。梁大同中，盧安興為廣州南江督護，僧明與兄天合及周文育竝為安興所啟，請與俱行。頻征俚獠有功，為新州助防。天合亦有材幹，預在征伐。安興死，僧明復副其子子雄。及交州土豪李賁反，逐刺史蕭諮，諮奔廣州，臺遣子雄與高州刺史孫冏討賁。時春草已生，瘴癘方起，子雄請待秋討之，廣州刺史新渝侯蕭暎不聽，蕭諮又促之，子雄等不得已，遂行。至合浦，死者十六七，眾竝憚役潰散，禁之不可，乃引其餘兵退還。蕭諮啟子雄及冏與賊交通，逗留不進，梁武帝勑於廣州賜死。子雄弟子略、子烈竝雄豪任俠，家屬在南江。天合謀於眾曰：「盧公累代待遇我等亦甚厚矣，今見枉而死，不能為報，非丈夫也。我弟僧明萬人之敵，若圍州城，召百姓，誰敢不從。城破，斬二侯祭孫、盧，然後待臺使至，束手詣廷尉，死猶勝生。縱其不捷，亦無恨矣。」眾咸慷慨曰「是願也，唯足下命之」。乃與周文育等率眾結盟，奉子雄弟子略為主，以攻刺史蕭暎。子略頓城南，天合頓城北，僧明、文育分據東西，吏人竝應之，一日之中，眾至數萬。高祖時在高要，聞事起，率眾來討，大破之，殺天合，生擒僧明及文育等，高祖竝釋之，引為主帥。

一一九〈魯悉達列傳〉（卷一三）

悉達雖仗氣任俠，不以富貴驕人，雅好詞賦，招禮才賢，與之賞會。遷安南將軍、吳州刺史。遭母憂，哀毀過禮，因遘疾卒，時年三十八。贈安左將軍、江州刺史，謚曰孝侯。子覽嗣。弟廣達，別有傳。

一二〇〈周敷列傳〉（卷一三）

周敷字仲遠，臨川人也。為郡豪族。敷形貌眇小，如不勝衣，而膽力勁果，超出時輩。性豪俠，輕財重士，鄉黨少年任氣者咸歸之。

一二一〈周炅列傳〉（卷一三）

周炅字文昭，汝南安成人也。祖彊，齊太子舍人，梁州刺史。父靈起，梁通直散騎常侍、廬桂二州刺史，保城縣侯。

炅少豪俠任氣，有將帥才。梁大同中為通直散騎侍郎、朱衣直閤。太清元年，出為弋陽太守。侯景之亂，元帝承制改授西陽太守，封西陵縣伯。景遣兄子思穆據守齊安，炅率驍勇襲破思穆，擒斬之。以功授持節、高州刺史。是時炅據武昌、西陽二郡，招聚卒徒，甲兵甚盛。景將任約來據樊山，炅與寧州長史徐文盛擊約，斬其部將叱羅子通、趙迦婁等。因乘勝追之，頻克，約眾殆盡。承聖元年，遷使持節、都督江定二州諸軍事、戎昭將軍、江州刺史，進爵為侯，邑五百戶。

一二二〈陳寶應列傳〉（卷三五）

寶應娶留異女為妻，侯安都之討異也，寶應遣兵助之，又資周迪兵糧，出寇臨川。及都督章昭達於東興、南城破迪，世祖因命昭達都督眾軍，由建安南道渡嶺，又命益州刺史領信義太守余孝頃都督會稽、東陽、臨海、永嘉諸軍自東道會之，以討寶應，并詔宗正絕其屬籍。於是尚書下符曰：

（略）

案閩寇陳寶應父子，卉服支孽，本迷愛敬。梁季喪亂，閩隅阻絕，父（名羽）既豪俠，扇動蠻陬，椎髻箕坐，自爲渠帥，無聞訓義，所資姦諂，爰肆蜂豺，俄而解印。炎行方謝，網漏吞舟，日月居諸，棄之度外。自東南王氣，實表聖基，斗牛聚星，允符王迹，梯山航海，雖若款誠，擅割瓌珍，竟微職貢。朝廷遵養含弘，寵靈隆赫，起家臨郡，兼晝繡之榮，裂地置州，假藩麾之盛。即封户牖，仍邑櫟陽，乘華轂者十人，保弊廬而萬石。又以盛漢君臨，推恩婁敬，隆周朝會，迺長滕侯，由是紫泥青紙，遠貴恩澤，鄉亭龜組，頒及嬰孩。

自谷遷喬，孰復爲擬，而苞藏鴆毒，敢行狼戾。連結留異，表裏周迪，盟歃婚姻，自爲脣齒，屈彊山谷，推移歲時。及我穀騎防山，定秦望之西部，戈船下瀨，克匯澤之南川，遂敢舉斧，竝助凶孽，莫不應弦摧衄，盡殪醜徒。每以罪在酋渠，憫兹驅逼，所收俘馘，竝勒矜放仍遣中使，爰降詔書，天網恢弘，猶許改思。異既走險，迪又逃刑，誑侮王人，爲之川藪，遂使袁熙請席，遠歎頭行，馬援觀蛙，猶安井底。至如遏絶九賦，剽掠四民，闔境資財，盡室封奪，凡厥倉頭，皆略黔首。螢賊相扇，叶契連蹤，乃復踰超瀛溟，寇擾泱口，侵軼嶺嶠，掩襲述城，縛掠吏民，焚燒官寺，此而可縱，孰不可容？

（略）

昭達既剋周迪，踰東興嶺，頓于建安，余孝頃又自臨海道襲于晉安，寶應據建安之湖際，逆拒王師，水陸為柵。昭達深溝高壘，不與戰，但命軍士伐木為簰。俄而水盛，乘流放之，突其水柵，仍水步薄之，寶應眾潰，身奔山草閒，窘而就執，并其子弟二十人送都，斬于建康市。

《魏　書》

一二三〈衛操列傳〉（卷二三）

衛操，字德元，代人也。少通**俠**，有才略。晉征北將軍衛瓘以操為牙門將，數使於國，頗自結附。始祖崩後，與從子雄及其宗室鄉親姬澹等十數人，同來歸國，說桓穆二帝招納晉人，於是晉人附者稍眾。桓帝嘉之，以為輔相，任以國事。及劉淵、石勒之亂，勸桓帝匡助晉氏。東嬴公司馬騰聞而善之，表加將號。稍遷至右將軍，封定襄侯。

一二四〈崔玄伯列傳〉（卷二四）

太宗以郡國豪右，大為民蠹，乃優詔徵之，民多戀本，而長吏逼遣。於是輕薄少年，因相扇動，所在聚結。西河、建興盜賊並起，守宰討之不能禁。太宗乃引玄伯及北新侯安同、壽光侯叔孫建、元城侯元屈等問曰：「前以兇**俠**亂民，故徵之京師，而守宰失於綏撫，令有逃竄。今犯者已多，不可悉誅，朕欲大赦以紓之，卿等以為何如？」屈對曰：「民逃不罪而反赦之，似若有求於下，不如先誅首惡，赦其黨類。」玄伯曰：「王者治天下，以安民為本，何能顧小曲直也。譬琴瑟不調，必改而更張；法度不平，亦須蕩而更制。夫赦雖非正道，而可以權行，自秦漢以來，莫不相踵。屈言先誅後赦，會於不能兩去，孰與一行便定。若其赦而不改者，誅之不晚。」太宗從之

一二五〈鄧淵列傳〉（卷二四）

其從父弟暉為尚書郎，兇**俠**好奇，與定陵侯和跋厚善。跋有罪誅，其子弟奔長安，或告暉將送出之。由是太祖疑淵知情，遂賜淵死，既而恨之。時人咸愍惜焉。

一二六〈長孫道生列傳〉（卷二五）

（長孫）稚妻張氏，生二子，子彥、子裕。後與羅氏私通，遂殺其夫，棄張納羅。羅年大稚十餘歲，妒忌防限。稚雅相愛敬，旁無姻妾，僮侍之中，嫌疑致死者，乃有數四。羅生三子，紹遠、士亮、季亮，兄弟皆廉武。稚少輕**俠**，鬭雞走馬，力爭殺人，因亡抵龍門將陳興德家，會赦乃免。因以後妻羅前夫女呂氏，妻興德兄興恩以報之。

一二七〈奚斤列傳〉（卷二九）

太宗即位，為鄭兵將軍，循行州郡，問民疾苦。章武民劉牙聚黨為亂，斤討平之。詔以斤世忠孝，贈其父箪為長寧子。太宗幸雲中，斤留守京師。昌黎王慕容伯兒收合輕俠失志之徒李沈等三百餘人謀反，斤聞而召伯兒入天文殿東廡下，窮問款引，悉收其黨誅之。詔與南平公長孫嵩等俱坐朝堂，錄決囚徒。太宗大閱于東郊，治兵講武，以斤行左丞相。大蒐於石會山。車駕西巡，詔斤為先驅，討越勒部於鹿那山，大破之，獲馬五萬匹，牛羊二十萬頭，徙二萬餘家而還。又詔斤與長孫嵩等八人，坐止車門右，聽理萬機。蠕蠕犯塞，令斤等追之。事具蠕蠕傳。拜天部大人，進爵為公，命斤出入乘軺軒，備威儀導從。世祖之為皇太子，臨朝聽政，以斤為左輔。

一二八〈高湖列傳〉（卷三二）

長子樹生。性通達，重節義，交結英雄，不事生產，有識者竝宗奇之。蠕蠕侵掠，高祖詔懷朔鎮將陽平王頤率眾討之，頤假樹生鎮遠將軍、都將，先驅有功。樹生尚氣俠，意在浮沉自適，不願職位，辭不受賞，論者高之。居宅數有赤光紫氣之異，鄰伍驚恐，僉謂怪變，宅不可居。樹生曰：「何往非善。」安之自若。雅好音律，常以絲竹自娛。孝昌初，北州大亂，詔發眾軍，廣開募賞。以樹生有威略，授以大都督，令率勁勇，鎮捍舊蕃。二年卒，時年五十五。

太昌初，追贈使持節、都督冀相滄瀛殷定六州諸軍事、大將軍、太師、錄尚書事、冀州刺史，追封勃海王，謚曰文穆，妻韓氏，為勃海王國太妃。永熙中，後贈假黃鉞、侍中、都督中外諸軍事，加後部羽葆鼓吹，餘如故，長子即齊獻武王也。

一二九〈谷渾列傳〉（卷三三）

谷渾，字元沖，昌黎人也。父袞，膂力兼人，彎弓三百斤，勇冠一時。仕慕容垂，至廣武將軍。

渾少有父風，任**俠**好氣，以父母在，常自退抑。晚乃折節受經業，遂覽群籍，被服類儒者。太祖時，以善隸書為內侍左右。太宗世，遷前鋒將軍，從幸河南。還，以選給事東宮。世祖即位，為中書侍郎，加振威將軍。從征赫連昌，為驍騎將軍。遷侍中、安南將軍，領儀曹尚書，賜爵濮陽公。

渾正直有操行，性不苟合，趣舍不與己同者，視之蔑如也。然反重舊故，不以富貴驕人。時人以此稱之。在官廉直，為世祖所器重，詔以渾子孫十五以上悉補中書學生。延和二年春，卒。世祖悼惜之，親臨其喪。贈賜豐厚，謚曰文宣。

一三〇〈房法壽列傳〉（卷四三）

及立平齊郡，以歷城民為歸安縣，崇吉為縣令。頗懷昔憾，與道固接事，意甚不平。後委縣出臺，訟道固罪狀數條。會赦不問。崇吉乞解縣，許之。停京師半歲，乃南奔。崇吉夫婦異路，剃髮為沙門，改名僧達，投其族叔法延。住歲餘，清河張略之亦豪**俠**士也，崇吉遺其金帛，得以自遣。妻從幽州南出，亦得相會。崇吉至江東，尋病死。

一三一〈韋閬列傳〉（卷四五）

（韋）師禮族弟嵩遵，少有氣**俠**。起家奉朝請，歷司空外兵參軍。後蕭寶夤為雍州刺史，引為中兵參軍，深見信任。寶夤反，令嵩遵率眾出征。嵩遵偽受其署，既行之後，遂與侯終德等還來襲城。以功封烏氏縣開國伯，邑五百戶。後除光州平東府長史，轉荊州驃騎府司馬。卒官，年四十四。

一三二〈崔鑒列傳〉（卷四九）

彭城王勰征壽春，（崔）秉從行，招致壯**俠**，以為部卒。勰目之，謂左右曰：「吾當寄膽氣於此人。」後為司空主簿，轉掾、城門校尉、長兼司空司馬。遷長史，加輔國將軍。出除左將軍、廣平內史，大納財貨，為清論所鄙。入為司徒左長史。未幾，除平東將軍、光祿大夫。尋加安西將軍，出除燕州刺史。時天下多事，遂為杜洛周攻圍。秉堅守歷年，朝廷遣都督元譚與秉第二子仲哲赴救。譚敗，仲哲死之。秉遂率城民奔定州，坐免官。尋除撫軍將軍，行相州事，轉征東將軍、金紫光祿大夫。

一三三〈慕容白曜列傳〉（卷五〇）

四年冬見誅。初乙渾專權，白曜頗所**俠**附，緣此追以為責。及將誅也，云謀反叛，時論冤之。

一三四〈劉芳列傳〉（卷五五）

A　（劉）緘弟粹，徐州別駕、朱衣直閤。粹少尚氣**俠**，兄歘死，粹招合部曲，就兗州刺史樊子鵠，謀應關西。大將軍攻討，城陷，殺之。

B　（劉）芳族兄僧利，輕財通**俠**，甚得鄉情。高祖幸徐州，引見，善之，拜徐州別駕。遷沛郡太守。後遂從容鄉里，不樂臺官。積十餘年，朝議慮其有二志，徵拜輕車將軍、羽林監。卒官。

一三五〈薛安都列傳〉（卷六一）

薛安都，字休達，河東汾陰人也。父廣，司馬德宗上黨太守。安都少驍勇，善騎射，頗結輕俠，諸兄患之。安都乃求以一身分出，不取片資，兄許之，居於別廐。遠近交遊者爭有送遺，馬牛衣服什物充牣其庭。真君五年，與東雍州刺史沮渠康謀逆，事發，奔於劉義隆。後自盧氏入寇弘農，執太守李拔等，遂逼陝城。時秦州刺史杜道生討安都。仍執拔等南遁，及世祖臨江，拔乃得還。

一三六〈畢衆敬列傳〉（卷六一）

子元賓，少而豪俠，有武幹，涉獵書史。為劉駿正員將軍，與父同建勳誠。及至京師，俱為上客，賜爵須昌侯，加平遠將軍。後以元賓勳重，拜使持節、平南將軍、兗州刺史，假彭城公。父子相代為本州，當世榮之。時衆敬以老還鄉，常呼元賓為使君。每於元賓聽政之時，乘輿出至元賓所，先遣左右敕不聽起，觀其斷決，忻忻然喜見顏色。衆敬善持家業，尤能督課田產，大致儲積。元賓為政清平，善撫民物，百姓愛樂之。以父憂解任，喪中遙授長兼殿中尚書。其年冬末卒。贈撫軍將軍、衛尉卿，曰平。賜帛八百匹。

一三七〈甄琛列傳〉（卷六八）

遷河南尹，加平南將軍，黃門、中正如故。琛表曰：「詩稱『京邑翼翼，四方是則』者，京邑是四方之本，安危所在，不可不清。是以國家居代，患多盜竊，世祖太武皇帝親自發憤，廣置主司、里宰，皆以下代令長及五等散男有經略者乃得為之。又多置吏士，為其羽翼，崇而重之，始得禁止。今遷都已來，天下轉廣，四遠赴會，事過代都，五方雜沓，難可備簡，寇盜公行，劫害不絕，此由諸坊混雜，釐比不精，主司闇弱，不堪檢察故也。凡使人攻堅木者，必為之擇良器。今河南郡是陛下天山之堅木，盤根錯節，亂植其中。六部里尉即攻堅之利器，非貞剛精鋭，無以治之。今擇尹既非南金，里尉鉛刀而割，欲望清肅都邑，不可得也。里正乃流外四品，職輕任碎，多是下才，人懷苟且，不能督察，故使盜得容姦，百賦失理。邊外小縣，所領不過百戶，而令長皆以將軍居之。京邑諸坊，大者或千戶、五百戶，其中皆王公卿尹，貴勢姻戚，豪猾僕隸，蔭養姦徒，高門邃宇，不可干問。又有州郡俠客，蔭結貴遊，附黨連群，陰為市劫，比之邊縣，難易不同。今難彼易此，實為未愜。王者立法，隨時從宜，改弦易調，明主所急。先朝立品，不必即定，施而觀之，不便則改。今閑官靜任，猶聽長兼，況煩劇要務，不得簡能下領？請取武官中八品將軍已下幹用貞濟者，以本官俸恤，領里尉之任，各食其祿，高者領六部尉，中者領經途尉，下者領里正。不爾，請少高里尉之品，選下品中應遷之者，進而為之。則督責有所，輦轂可清。」詔曰：「里正可進至勳品，經途從九品，六部尉正九品諸職中簡取，何必須武人也？」琛又奏以羽林為遊軍，於諸坊巷司察盜賊。於是京邑清靜，至今踵焉。

一三八〈崔休列傳〉（卷六九）

（崔）仲文弟叔仁，性輕俠，重衿期。歷通直散騎侍郎、司徒司馬、散騎常侍，出為驃騎將軍、潁州刺史。以貪汙為御史所劾。興和中，賜死於宅。臨刑，賦詩與諸弟訣別而不及其兄，以其不甚營救故也。

一三九〈裴延儁列傳〉（卷六九）

（裴）慶孫任俠有氣，鄉曲壯士及好事者，多相依附，撫養咸有恩紀。在郡之日，值歲饑凶，四方遊客常有百餘，慶孫自以家糧贍之。性雖麤武，愛好文流，與諸才學之士咸相交結，輕財重義，座客常滿，是以為時所稱。

一四〇〈陽尼列傳〉（卷七二）

（陽）延興從弟固，字敬安。性俶儻，不拘小節，少任俠，好劍客，弗事生產。年二十六，始折節好學，遂博覽篇籍，有文才。

一四一〈祖瑩列傳〉（卷八二）

瑩以文學見重，常語人云：「文章須自出機杼，成一家風骨，何能共人同生活也。」蓋譏世人好偷竊他文，以為己用。而瑩之筆札，亦無乏天才，但不能均調，玉石兼有，製裁之體，減於袁、常焉。性爽**俠**，有節氣，士有窮厄，以命歸之，必見存拯，時亦以此多之。其文集行於世。子珽，字孝徵，襲。

一四二〈外戚列傳〉（卷八三）

長子（李）彧，字子文，尚莊帝姊豐亭公主。封東平郡公，位侍中、左光祿大夫、中書監、驃騎大將軍、開府儀同三司、廣州刺史。彧任**俠**交遊，輕薄無行。尒朱榮之死也，武毅之士皆彧所進。孝靜初，以罪棄市。

一四三〈儒林列傳〉（卷八四）

（李）業興愛好墳籍，鳩集不已，手自補治，躬加題帖，其家所有，垂將萬卷。覽讀不息，多有異聞，諸儒服其淵博。性豪俠，重意氣。人有急難，委之歸命，便能容匿。與其好合，傾身無吝。若有相乖忤，便即疵毀，乃至聲色，加以謗罵。性又躁隘，至於論難之際，高聲攘振，無儒者之風。每語人云：「但道我好，雖知妄言，故勝道惡。」務進忌前，不顧後患，時人以此惡之。至於學術精微，當時莫及。

一四四〈海夷馮跋列傳〉（卷九七）

海夷馮跋，字文起，小名乞直伐，本出長樂信都。慕容永僭號長子，以跋父安為將。永為垂所滅，安東徙昌黎，家于長谷。跋飲酒至一石不亂。母弟素弗，次丕，次洪，皆任俠放逸，不修行業，跋恭慎勤稼穡。既家昌黎，遂同夷俗。

《北齊書》

一四五〈神武帝紀〉（卷一）

神武（高歡）既累世北邊，故習其俗，遂同鮮卑。長而深沉有大度，輕財重士，為豪俠所宗。目有精光，長頭高顴，齒白如玉，少有人傑表。家貧，及聘武明皇后，始有馬，得給鎮為隊主。鎮將遼西段長常奇神武貌，謂曰：「君有康濟才，終不徒然。」便以子孫為託。及貴，追贈長司空，擢其子寧用之。神武自隊主轉為函使。嘗乘驛過建興，雲霧晝晦，雷聲隨之，半日乃絕，若有神應者。每行道路，往來無風塵之色。又嘗夢履眾星而行，覺而內喜。為函使六年，每至洛陽，給令史麻祥使。祥嘗以肉啗神武，神武性不立食，坐而進之。祥以為慢己，笞神武四十。

及自洛陽還，傾產以結客，親故怪問之。答曰：「吾至洛陽，宿衛羽林相率焚領軍張彝宅，朝廷懼其亂而不問，為政若此，事可知也。財物豈可常守邪？」自是乃有澄清天下之志。與懷朔省事雲中司馬子如及秀容人劉貴、中山人賈顯智為奔走之友，懷朔戶曹史孫騰、外兵史侯景亦相友結。劉貴嘗得一白鷹，與神武及尉景、蔡儁、子如、賈顯智等獵於沃野。見一赤兔，每搏輒逸，遂至迴澤。澤中有茅屋，將奔入，有狗自屋中出，噬之，鷹兔俱死。神武怒，以鳴鏑射之，狗斃。屋中有二人出，持神武襟甚急。其母兩目盲，曳杖呵其二子曰：「何故觸大家！」出甕中酒，烹羊以飯客。因自言善暗相，遍捫諸人皆貴，而指麾俱由神武。又曰：「子如歷位顯，智不善終。」飯竟出，行數里還，更訪之，則本無人居，乃向非人也。由是諸人益加敬異。

一四六〈尉景列傳〉（卷一五）

尉景，字士真，善無人也。秦、漢置尉候官，其先有居此職者，因以氏焉。景性溫厚，頗有俠氣。魏孝昌中，北鎮反，景與神武入杜洛周中，仍共歸尒朱榮。以軍功封博野縣伯。後從神武起兵信都。韓陵之戰，唯景所統失利。神武入洛，留景鎮鄴。尋進封為公。

一四七〈韓軌列傳〉（卷一五）

子晉明嗣。天統中，改封東萊王。晉明有俠氣，諸勳貴子孫中最留心學問。好酒誕縱，招引賓客，一席之費，動至萬錢，猶恨儉率。朝廷處之貴要之地，必以疾辭。告人云：「廢人飲美酒、對名勝，安能作刀筆吏返披故紙乎？」武平末，除尚書左僕射，百餘日便謝病解官。

一四八〈蔡儁列傳〉（卷一九）

豪爽有膽氣，高祖微時，深相親附。與遼西段長、太原龐蒼鷹俱有先知之鑒。長為魏懷朔鎮將，嘗見高祖，甚異之，謂高祖云：「君有康世之才，終不徒然也，請以子孫為託。」興和中，啟贈司空公。子寧，相府從事中郎，天保初，兼南中郎將。蒼鷹交遊豪**俠**，厚待賓旅，居於州城。高祖客其舍，初居處於蝸牛廬中，蒼鷹母數見廬上赤氣屬天。蒼鷹亦知高祖有霸王之量，每私加敬，割其宅半以奉高祖，由此遂蒙親識。高祖之牧晉州，引為兼治中從事史，行義寧郡事。及義旗建，蒼鷹乃棄家間行歸高祖，高祖以為兼行臺倉部郎中。卒於安州刺史。

一四九〈任延敬列傳〉（卷一九）

（任）冑輕**俠**，頗敏惠。少在高祖左右，天平中，擢為東郡太守。家本豐財，又多聚歛，動極豪華，賓客往來，將迎至厚。尋以贓污為有司所劾，高祖捨之。及解郡，高祖以為都督。興和末，高祖攻玉壁還，以晉州西南重要，留清河公岳為行臺鎮守，以冑隸之。冑飲酒遊縱，不勤防守，高祖責之。冑懼，遂潛遣使送欵於周。為人糾列，窮治未得其實，高祖特免之，謂冑曰：「我推誠於物，謂卿必無此理。且黑獺降人，首尾相繼，卿之虛實，於後何患不知。」冑內不自安。是時，儀同尒朱文暢及參軍房子遠、鄭仲禮等並險薄無賴，冑厚與交結，乃陰圖子弟並誅。

殺逆。武定三年正月十五日，因高祖夜戲，謀將竊發。有人告之，令捕窮治，事皆得實。冑及

一五〇〈張保洛列傳〉（卷一九）

張保洛，代人也，自云本出南陽西鄂。家世好賓客，尚氣俠，頗為北土所知。保洛少率健，善弓馬。魏孝昌中，北鎮擾亂，保洛亦隨眾南下。葛榮僭逆，以保洛為領左右。榮敗，仍為尒朱榮統軍，累遷揚烈將軍、奉車都尉。後隸高祖為都督，從討步蕃。

一五一〈薛循義列傳〉（卷二〇）

循義少而姦俠，輕財重氣，招召豪猾，時有急難相奔投者，多能容匿之。魏咸陽王為司州牧，用為法曹從事。魏北海王顥鎮徐州，引為墨曹參軍。正光末，天下兵起，顥為征西將軍，都督華、豳、東秦諸軍事，兼左僕射、西道行臺，以循義為統軍。時有詔，能募得三千人者用為別將。於是循義還河東，仍歷平陽、弘農諸郡，合得七千餘人，即假安北將軍、西道別將。俄而東西二夏、南北兩華及豳州等反叛，顥進討之。循義率所部，頗有功。絳蜀賊陳雙熾等聚汾曲，詔循義為大都督，與行臺長孫稚共討之。循義以雙熾是其鄉人，遂輕詣壘下，曉以利害，熾等遂降。拜循義龍門鎮將。

一五二〈慕容儼列傳〉（卷二〇）

九年，又討賊有功，賜帛一百疋、錢十萬。十年，詔除揚州行臺，與王貴顯、侯子監將兵衛送蕭莊。築郭默、若邪二城。與陳新蔡太守魯悉達戰大虵洞，破走之。又監蕭莊、王琳軍，與陳將侯瑱、侯安都戰於蕪湖，敗歸。皇建初，別封成陽郡公。天統二年，除特進。四年十月，又別封猗氏縣公，並賜金銀酒鍾各一枚、胡馬一匹。五年四月，進爵為義安王。武平元年，出為光州刺史。儼少任**俠**，交通輕薄，遨遊京洛間。及從征討，每立功効，經略雖非所長，而有將帥之節。所歷諸州，雖不能清白守道，亦不貪殘。卒，贈司徒、尚書令。子子顒，給事黃門侍郎。

一五三〈高乾列傳〉（卷二一）

A

高乾，字乾邕，渤海蓨人也。父翼，字次同，豪**俠**有風神，為州里所崇敬。孝昌末，葛榮作亂於燕、趙，朝廷以翼山東豪右，即家拜渤海太守。至郡未幾，賊徒愈盛，翼部率合境，徙居河、濟之間。魏因置東冀州，以翼為刺史，加鎮東將軍、樂城縣侯。及尒朱兆弒莊帝，翼保境自守。謂諸子曰：「主憂臣辱，主辱臣死，今社稷阽危，人神憤怨，破家報國，在此時也。

尒朱兄弟，性甚猜忌，忌則多害，汝等宜早圖之。先人有奪人之心，時不可失也。」事未輯而卒。中興初，贈使持節、侍中、太保、錄尚書事、冀定瀛相殷幽六州諸軍事、冀州刺史，謚曰文宣。

乾性明悟，俊偉有知略，美音容，進止都雅。少時輕俠，數犯公法，長而修改，輕財重義，多所交結。魏領軍元叉，權重當世，以意氣相得，接乾甚厚。起家拜員外散騎侍郎，領直後，轉太尉士曹、司徒中兵、遷員外。

B

（高）昂還，復為軍司大都督，統七十六都督，與行臺侯景治兵於武牢。御史中尉劉貴時亦率眾在北豫州，與昂小有忿爭，昂怒，鳴鼓會兵而攻之。侯景與冀州刺史万俟受洛干救解乃止。其俠氣凌物如此。于時，鮮卑共輕中華朝士，唯憚服於昂。高祖每申令三軍，常鮮卑語，昂若在列，則為華言。昂嘗詣相府，掌門者不納，昂怒，引弓射之。高祖知而不責。

C

自昂初以豪俠立名，為之羽翼者，呼延族、劉貴珍、劉長狄、東方老、劉士榮、成五、韓願生、劉桃棒；隨其建義者，李希光、劉叔宗、劉孟和。並仕宦顯達。孟和名協，浮陽饒安人也。孟和少好弓馬，率性豪俠。幽州刺史劉靈助之起兵也，孟和亦聚眾附昂兄弟，昂遙應之。及靈助敗，昂乃據冀州，孟和為其致力。會高祖起義冀州，以孟和為都督。中興初，拜通直常侍。二年，除安東將軍，尋加征東將軍、金紫光祿。以建義勳，賜爵長廣縣伯。天平中，衛將軍、上黨內史，罷郡，除人丞相司馬。武定元年，坐事死。

（劉）叔宗字元纂，樂陵平昌人。和謹，頗有學業，舉秀才。稍遷滄州治中。永安中，加鎮遠將軍、諫議大夫。兄海寶，少輕**俠**，然為州里所愛。昂之起義也，海寶率鄉閭襲滄州以應昂，昂以海寶權行滄州事。前范陽太守刁整心附尒朱，遣弟子安壽襲殺海寶。叔宗仍歸於昂。中興初，高祖除前將軍、廷尉少卿。太昌初，加鎮軍將軍、光祿大夫。天平初，除車騎將軍、左光祿大夫。二年卒。贈使持節、儀同、定州刺史。

一五四〈封隆之列傳〉（卷二一）

（封）子繪弟子繡，武平中，渤海太守、霍州刺史。陳將吳明徹侵略淮南，子繡城陷，被送揚州。齊亡後，逃歸。隋開皇初，終於通州刺史。子繡外貌儒雅，而**俠**氣難忤。司空婁定遠，子繡兄之壻也，為瀛州刺史。子繡在渤海，定遠過之，對妻及諸女讌集，言戲微有褻慢，子繡大怒，嗚鼓集眾將攻之。俄頃，兵至數千，馬將千匹。定遠免冠拜謝，久乃釋之。

一五五〈李元忠列傳〉（卷二二）

A

元忠宗人愍，字魔憐，形貌魁傑，見異於時。少有大志，年四十，猶不仕州郡，唯招致姦**俠**，以為徒侶。孝昌之末，天下兵起，愍潛居林慮山，觀候時變。賊帥鮮于脩禮、毛普賢作亂，詔遣大都督長孫稚討之。稚素聞愍名，召兼帳內統軍。軍達呼沲，賊來逆戰，稚軍為賊所敗。愍遂歸家。安樂王元鑒為北道大行臺，至鄴，以賊眾盛彊，未得前。遣使徵愍，表授武騎常侍、假節、別將，鎮鄴城東郭。葛榮之圍信都，餘黨南抄，陽平以北，皆為賊有。鑒命愍為前驅，別討之，頗有斬獲。及鑒謀逆，愍乃詐患暴風，鑒信之，因此得免。未幾，大都督源子邕屯安陽，大都督裴衍屯鄴城，西討鑒。愍棄家口奔子邕，仍被徵赴洛，除奉車都尉，持節鎮汁河。汁河在鄴之西北，重山之中，并、相二州交境。以葛榮南逼，故用愍鎮之。榮遣其叔樂陵王葛萇率精騎一萬擊愍，愍據險拒戰，萇不得前。尒朱榮至東闕，愍乃見榮。榮欲分賊勢，遣愍別道向襄國，襲賊署廣州刺史田怙軍。愍未至襄國，已擒葛榮。即表授愍建忠將軍；分廣平易陽、襄國，南趙郡之中丘三縣為易陽郡，以愍為太守；賜爵襄國侯。

B

元忠族叔景遺，少雄武，有膽力，好結聚亡命，共為劫盜，鄉里每患之。永安末，其兄南鉅鹿太守無為以贓罪為御史糾劾，禁於州獄。景遺率左右十餘騎，詐稱臺使，徑入州城，劫無為而出之。州軍追討，竟不能制。由是以俠聞。及高祖舉義於信都，景遺赴於軍門。高祖素聞其名，接之甚厚。命與元忠舉兵於西山，仍與大軍俱會，擒刺史尒朱羽生。以功除龍驤將軍，昌平縣公，邑八百戶。尒朱兆來伐，又力戰有功，除使持節、大都督、左將軍。太昌初，進爵昌平郡公，增邑三百戶，加車騎將軍。天平初，出為潁州刺史。未幾，為前潁川太守元洪威所襲殺。贈侍中、殷滄二州軍事、大將軍、開府、殷州刺史。子伽林襲。

一五六〈盧文偉列傳〉（卷二二）

（盧）懷道弟宗道，性麤率，重任俠。歷尚書郎、通直散騎常侍，夜行南營州刺史。嘗於晉陽置酒，賓遊滿坐。中書舍人馬士達目其彈箜篌女妓云：「手甚纖素。」宗道即以此婢遺士達，士達固辭，宗道便命家人將解其腕，士達不得已而受之。將赴營州，於督亢陂大集鄉人，殺牛聚會。有一舊門生酒醉，言辭之間，微有疎失，宗道遂令沉之於水。後坐酷濫除名。

一五七〈敬顯儁列傳〉（卷二六）

敬顯儁，字孝英，平陽人。少英俠有節操，交結豪傑。為羽林監。高祖臨晉州，儁因使謁見，與語説之，乃啟為別駕。及義舉，以儁為行臺倉部郎中。從攻鄴，令儁督造土山。城拔，又從平西胡。轉都官尚書，與諸將征討，累有功。又從高祖平寇難，破周文帝。敗侯景，平壽春，定淮南。又略地三江口，多築城戍。累除兗州刺史，卒。

一五八〈平鑒列傳〉（卷二六）

平鑒，字明達，燕郡薊人。父勝，安州刺史。鑒少聰敏，頗有志力。受學於徐遵明，不為章句，雖崇儒業，而有豪俠氣。孝昌末，盜賊蜂起，見天下將亂，乃之洛陽，與慕容儼騎馬為友。鑒性巧，夜則胡畫，以供衣食。謂其宗親曰：「運有污隆，亂極則治。并州戎馬之地，尒朱王命世之雄，杖義建旗，奉辭問罪，勞忠竭力，今也其時。」遂相率奔尒朱榮於晉陽，因陳靜亂安民之策。榮大奇之，即署參軍，前鋒從平鞏、密，每陣先登。除撫軍、襄州刺史。

一五九〈金祚列傳〉（卷二七）

金祚，字神敬，安定人也。性驍雄，尚氣任**俠**。魏正光中，隴右賊起，詔雍州刺史元猛討之，召募狼家，以為軍導，祚應選。以軍功累遷龍驤將軍、靈州刺史。高祖舉義，尒朱天光率關右之眾與仲遠等北抗義師。天光留祚東秦，總督三州，鎮靜二州。天光敗，歸高祖，除車騎大將軍。邙山之戰，以大都督從破西軍。祚除華州刺史，加開府儀同三司，別封臨濟縣子，卒。贈司空。

一六〇〈盧叔武列傳〉（卷四二）

A

盧叔武，范陽涿人，青州刺史文偉從子也。父光宗，有志尚。叔武兩兄觀、仲宣並以文章顯於洛下。叔武少機悟，豪率輕**俠**，好奇策，慕諸葛亮之為人。為賀拔勝荊州開府長史。勝不用其計，棄城奔梁。叔武歸本縣，築室臨陂，優遊自適。世宗降辟書，辭疾不到。天保初復徵，不得已，布裘乘露車至鄴。楊愔往候之，以為司徒諮議，稱疾不受。

B

史臣曰：崔彥玄奕世載德，不忝其先；盧詹事任俠好謀，志尚宏遠；陽僕射位高望重，鬱為時宗；袁尚書清明在躬，以器能見任；與陽斐、盧潛並朝之良也。有齊季世，權歸佞幸，賴諸君維持名教，不然則拔本塞源，裂冠毀冕，安可道哉。

一六一〈酷吏列傳〉（卷四七）

A

（宋遊道）然重交遊，存然諾之分。歷官嚴整，而時大納賄，分及親故之艱匱者，其男女孤弱為嫁娶之，臨喪必哀，躬親喪事。為司州綱紀與牧欒昌、河西二王乖忤，及二王薨，每事經恤之。與頓丘李獎一面，便定死交。獎曰：「我年位已高，會用弟為佐史，令弟北面於我足矣。」遊道曰：「不能。」既而獎為河南尹，辟遊道為中正，使者相屬，以衣帢待之，握手歡謔。元顥入洛，獎受其命，出使徐州，都督元孚與城人趙紹兵殺之。遊道為獎訟冤，得雪，又表為請贈，迴已考一汎階以益之。又與尉磃結交，託磃弟粹於徐州殺趙紹。後平之梟粹首於鄴市。孫騰使客告市司，得錢五百萬後聽收。遊道時為司州中從事，令家人作尉粹所親，於州陳訴，依律判「許」而奏之。敕至，市司猶不許。遊道杖市司，勒使速付。騰聞大怒。時李獎二子構、訓居貧，遊道後令其求三富人死事，判免之，凡得錢百五十萬，盡以入構、訓。其使氣黨**俠**如此。時人語曰：「遊道獮猴面，陸操科斗形，意識不關貌，何謂醜者必無情。」構嘗因遊道會客，因戲之曰：「賢從在門外，大好人，宜自迎接。」為通名稱「族弟遊山。」遊道出見之，乃獮猴衣帽也。將與構絕，構謝之，豁然如舊。遊道死後，構為定州長史，遊道第三子士遜為墨曹、博陵王管記，與典籤共誣奏構。構於禁所祭遊道而訴焉。士遜晝臥如夢者，見遊道怒己曰：「我與構恩義，汝豈不知，何共小人謀陷清直之士！」士遜驚跪曰：「不敢、不敢。」旬日而卒。

B

畢義雲，小字陁兒。少麤**俠**，家在兗州北境，常劫掠行旅，州里患之。晚方折節從官，累遷尚書都官郎中。性嚴酷，事多幹了。齊文襄作相，以為稱職，令普勾偽官，專以車輻考掠，所獲甚多。然大起怨謗。曾為司州吏所訟，云其有所減截，并改換文書。文襄以其推偽，眾人怨望，並無所問，乃拘吏數人而斬之。因此銳情訊鞫，威名日盛。

《周　書》

一六二〈文帝帝紀〉（卷一）

（宇文）肱任俠有氣幹。正光末，沃野鎮人破六汗拔陵作亂，遠近多應之。其偽署王衛可孤徒黨最盛，肱乃糺合鄉里斬可孤，其眾乃散。後避地中山，遂陷於鮮于修禮。修禮令肱還統其部眾。後為定州軍所破，歿於陣。武成初，追尊曰德皇帝。

一六三〈莒莊公洛生列傳〉（卷一〇）

莒莊公（宇文）洛生，少任俠，尚武藝，及壯，有大度，好施愛士。北州賢俊，皆與之遊，而才能多出其下。及葛榮破鮮于修禮，乃以洛生為漁陽王，仍領德皇帝餘眾。時人皆呼為洛生王。洛生善將士，帳下多驍勇。至於攻戰，莫有當其鋒者，是以克獲常冠諸軍。爾朱榮定山東，收諸豪傑，遷於晉陽，洛生時在虜中。榮雅聞其名，心憚之。尋為榮所害。保定初，追贈使持節、太保、柱國大將軍、大冢宰、大宗伯、大都督、并肆等十州諸軍事、并州刺史；封莒國公，邑五千戶；謚曰莊。

一六四〈賀拔勝列傳〉(卷一三)

勝兄弟三人(勝、允、岳),竝以豪俠知名。兄允字阿泥,魏孝武時,位至太尉,封燕郡王,為神武所害。

一六五〈侯莫陳順列傳〉(卷一九)

侯莫陳順,太保、梁國公崇之兄也。少豪俠,有志度。初事爾朱榮為統軍,後從賀拔勝鎮井陘。武泰初,討葛榮,平邢杲,征韓婁,皆有功。拜輕車將軍、羽林監。又從破元顥,進寧朔將軍、越騎校尉。普泰元年,除持節、征西將軍,封木門縣子,邑三百戶。尋加散騎常侍、千牛備身、衛將軍、閤內大都督。從魏孝武入關。順與太祖同里閈,素相友善,且其弟崇先在關中,太祖見之甚歡。乃進爵彭城郡公,邑一千戶。

一六六〈宇文貴列傳〉(卷一九)

魏廢帝初,出為岐州刺史。二年,授大都督、興西蓋等六州諸軍事、興州刺史。先是興州氐反,自貴至州,人情稍定。貴表請於梁州置屯田,數州豐足。三年,詔貴代尉遲迥鎮蜀。時隆州人開府李光賜反於鹽亭，與其黨帛玉成、寇食堂、譙淹、蒲皓、馬術等攻圍隆州。州人李祏亦聚眾反，開府張遁舉兵應之。貴乃命開府叱奴興救隆州，又令開府成亞擊祏及遁。勢蹙遂降，執送京師。除都督益潼等八州諸軍事、益州刺史，就加小司徒。先是蜀人多劫盜，貴乃召任**俠**傑健者，署為遊軍二十四部，令其督捕，由是頗息。

一六七〈權景宣列傳〉（卷二八）

景宣少聰悟，有氣**俠**，宗黨皆歎異之。年十七，魏行臺蕭寶夤見而奇之，表為輕車將軍。及寶夤敗，景宣歸鄉里。太祖平隴右，擢為行臺郎中。魏孝武西遷，授鎮遠將軍、步兵校尉，加平西將軍、秦州大中正。大統初，轉祠部郎中。

一六八〈梁士彥列傳〉（卷三一）

梁士彥字相如，安定烏氏人也。少任**俠**，好讀兵書，頗涉經史。周武帝將平東夏，聞其勇決，自扶風郡守除為九曲鎮將，進位上開府，封建威縣公。齊人甚憚之。

一六九〈楊𢳆列傳〉（卷三四）

𢳆少豪俠有志氣。魏孝昌中，爾朱榮殺害朝士，大司馬、城陽王元徽逃難投𢳆；𢳆藏而免之。孝莊帝立，徽乃出，復為司州牧。由是𢳆以義烈聞。擢拜伏波將軍、給事中。元顥入洛，孝莊欲往晉陽就爾朱榮，詔𢳆率其宗人收船馬渚。𢳆未至，帝已北度太行，𢳆遂匿所收船，不以資敵。及爾朱榮奉帝南討，至馬渚，𢳆乃具船以濟王師。顥平，封肥如五百戶，加鎮遠將軍、步兵校尉，行濟北郡事。進都督、平東將軍、太中大夫。

一七〇〈薛善列傳〉（卷三五）

敬珍字國寶，河東蒲坂人也，漢楊州刺史韶之十世孫。父伯樂，州主簿，安邑令。珍偉容儀，有氣俠，學業騎射，俱為當時所稱。祥即珍從祖兄也，亦慷慨有大志，唯以交結英豪為務。珍與之深相友愛，每同遊處。

一七一〈韋祐列傳〉（卷四三）

法保（韋祐字）少好遊俠，而質直少言。所與交遊，皆輕猾亡命。人有急難投之者，多保存之。雖屢被追捕，終不改其操，父沒，事母兄以孝敬聞。慕李長壽之為人，遂娶長壽女，因男，邑二百戶。寓居關南。正光末，四方雲擾。王公被難者或依之，多得全濟，以此為貴遊所德。乃拜員外散騎侍郎，加輕車將軍。及魏孝武西遷，法保從山南赴行在所。除右將軍、太中大夫，封固安縣男，邑二百戶。

一七二〈陳忻列傳〉（卷四三）

陳忻字永怡，宜陽人也。少驍勇，有氣**俠**，姿貌魁岸，同類咸敬憚之。魏孝武西遷之後，忻乃於辟惡山招集勇敢少年數十人，寇掠東魏，仍密遣使歸附。大統元年，授持節、伏波將軍、羽林監、立義大都督，賜爵霸城縣男。三年，太祖復弘農，東魏揚州刺史段琛拔城遁走。忻率義徒於九曲道邀之，殺傷甚眾，擒其新安令張祇。太祖嘉其忠欵，使行新安縣事。及獨孤信入洛，忻舉李延孫為前鋒，仍從信守金墉城。及河橋戰不利，隨軍西還，復行新安縣事。東魏遣土人牛道恒為揚州刺史，忻率兵擊破之，進爵為子。常隨崤東諸將鎮遏伊、洛間，每有功。九年，與李遠迎高仲密，仍從戰邙山。及大軍西還，復與韓雄等依山合勢，破東魏三城，斬其金門郡守方臺洛。增邑六百戶。尋行宜陽郡事。東魏復遣劉益生為金門郡守，忻又斬之。除鎮遠將軍、魏郡守。俄授使持節、平東將軍、顯州刺史。太祖以忻威著敵境，仍留靜邊，弗令之任。十年，侯景築九曲城，忻率眾邀之，擒其宜陽郡守趙嵩、金門郡守樂敬賓。十三年，從李遠平九曲城，授帥都督。東魏將爾朱渾願率精騎三千來向宜城，忻與諸將輕兵邀之，願遂退走。十五年，除宜陽郡守，加大都督、撫軍將軍。十六年，進車騎大將軍、儀同三司、散騎常侍。與齊將東方老戰於石泉，破之，俘獲甚眾。時東魏每歲遣兵送米餽宜陽，忻輒與諸軍邀擊之，每多剋獲。

一七三〈蕭詧列傳〉（卷四八）

蕭詧字理孫，蘭陵人也，梁武帝之孫，昭明太子統之第三子。幼而好學，善屬文，尤長佛義。特為梁武帝所嘉賞。梁普通六年，封曲江縣公。中大通三年，進封岳陽郡王。歷官宣惠將軍，知石頭戍事，琅琊、彭城二郡太守，東揚州刺史。初，昭明卒，梁武帝舍詧兄弟而立簡文，內常愧之，寵亞諸子，以會稽人物殷阜，一都之會，故有此授，以慰其心。詧既以其昆弟不得為嗣，常懷不平。又以梁武帝衰老，朝多秕政，有敗亡之漸，遂蓄聚貨財，交通賓客，招募輕俠，折節下之。其勇敢者多歸附，左右遂至數千人，皆厚加資給。

《南　史》

一七四〈宋本紀〉（卷一）

帝以荊州刺史司馬休之宗室之重，又得江、漢人心，疑其有異志；而休之子譙王文思在都，招聚輕**俠**，帝執送休之，命自為其所。休之表廢文思，并與帝書陳謝。

一七五〈垣護之列傳〉（卷二五）

（垣）憘伯少負氣豪**俠**，妙解射雉，尤為武帝所重，以為直閤將軍。與王文和俱任，頗以地勢陵之。後出為巴西、梓潼二郡太守，時文和為益州刺史，曰：「每憶昔日俱在閤下，卿時視我，如我今日見卿。」因誣其罪，馳信啟之，又輒遣蕭寅代憘伯為郡。憘伯亦別遣啟臺，閉門待報，寅以兵圍之。齊明帝輔政，知其無罪，不欲乖文和，乃敕憘伯解郡。還為寅軍所躡，束手受害。

一七六〈何尚之列傳〉（卷三〇）

（何）點明目秀眉，容貌方雅，真素通美，不以門戶自矜。博通群書，善談論。家本素族，親姻多貴仕。點雖不入城府，性率到，好狎人物。遨游人間，不簪不帶，以人地並高，無所與屈，大言踑踞公卿，敬下。或乘柴車，躡草屩，恣心所適，致醉而歸。故世論以點為孝隱士，弟胤為小隱士，大大多慕從之。時人稱重其通，號曰「游俠處士」。兄求亦隱吳郡武丘山。求卒，點菜食不飲酒，訖于三年，腰帶減半。

一七七〈張裕列傳〉（卷三一）

駕幸莊嚴寺聽僧達道人講維摩，坐遠不聞緒言，上難移緒，乃遷僧達以近之。時帝欲用緒為右僕射，以問王儉。儉曰：「緒少有清望，誠美選也。南士由來少居此職。」褚彥回曰：「儉少年或未憶耳，江左用陸玩、顧和，皆南人也。」儉曰：「晉氏衰政，不可為則。」先是緒諸子（完、充、允）皆輕俠，中子充少時又不護細行，儉又以為言，乃止。

一七八〈鄧元起列傳〉（卷五五）

鄧元起字仲居，南郡當陽人也。少有膽幹，性任俠，仕齊為武寧太守。梁武起兵，蕭穎胄與書招之，即日上道，率衆與武帝會于夏口。齊和帝即位，拜廣州刺史。中興元年，為益州刺史，仍為前軍。建康城平，進號征虜將軍。天監初，封為當陽縣侯，始述職焉。

一七九〈裴邃列傳〉（卷五八）

（裴）之横字如岳，少好賓游，重氣**俠**，不事產業。之高以其縱誕，乃為狹被蔬食以激厲之。之横歎曰：「大丈夫富貴，必作百幅被。」遂與僮屬數百人於芍陂大營田墅，遂致殷積。梁簡文在東宮，聞而要之，以為河東王常侍。遷直閤將軍。

一八〇〈杜僧明列傳〉（卷六六）

杜僧明字弘照，廣陵臨澤人也。形貌眇小，而有膽氣，善騎射。梁大同中，盧安興為新州刺史、南江督護，僧明與兄天合及周文育並為安興所啟，請與俱行。頻征俚、獠有功，為新州助防。天合亦有材幹，預在征伐。安興死，僧明復副其子子雄。及交州豪士李賁反，逐刺史蕭諮，諮奔廣州。臺遣子雄與高州刺史孫冏討賁。時春草已生，瘴癘方起，子雄請待秋討之，廣州刺史新渝侯蕭暎不聽，蕭諮又促之，子雄等不得已遂行。至合浦，死者十六七，衆並憚役潰散。禁之不可，乃引其餘兵退還。蕭諮啟子雄及冏與賊交通，逗留不進，梁武帝敕於廣州賜死。子雄弟子略、子烈並豪**俠**，家屬在南江。天合謀於衆曰：「盧公累葉待遇我等亦甚厚矣，今見枉死而不能為報，非丈夫也。我弟僧明，萬人之敵，若圍州城，召百姓，誰敢不從。城破斬二侯，然後待臺使至，束手詣廷尉，死猶勝生。縱其不捷，亦無恨矣。」眾咸慷慨曰：「是所願也，唯足下命之。」乃與周文育等率眾結盟，奉子雄弟子略為主，以攻刺史蕭暎。子略頓城南，天合頓城北，僧明、文育分據東西，吏人並應之，一日之中，眾至數萬。陳武帝時在高要，聞事起，率眾來討，大破之。殺天合，禽僧明及文育等，並釋之，引為主帥。

一八一〈周敷列傳〉（卷六六）

周敷字仲遠，臨川人也。為郡豪族。敷形貌眇小，如不勝衣，膽力勁果，超出時輩。性豪俠，輕財重士，鄉黨少年任氣者咸歸之。

一八二〈周炅列傳〉（卷六七）

炅少豪俠任氣，有將帥才。梁太清元年，為弋陽太守。侯景之亂，元帝承制改授西陽太守，封西陵縣伯。以軍功累遷都督、江州刺史，進為侯。陳武帝踐阼，王琳擁據上流，炅以州從之。後為侯安都所禽，送都。文帝釋之，授定州刺史，帶西陽、武昌二郡太守。

一八三〈魯悉達列傳〉（卷六七）

悉達雖仗氣任俠，不以富貴驕人。雅好詞賦，招禮賢才，與之賞會。文帝即位，遷吳州刺史。遭母憂，哀毀過禮，因遘疾卒，謚孝侯。子覽嗣。弟廣達。

一八四〈循吏列傳〉（卷七〇）

A

遷武昌太守。（何）遠本倜儻，尚輕俠。至是乃折節為吏，杜絕交游，饋遺秋毫無所受。武昌俗皆汲江水，盛夏，遠患水溫，每以錢買人井寒水。不取錢者，則摙水還之，其他事率多如此。跡雖似偽，而能委曲用意。車服尤弊素，器物無銅漆。江左水族甚賤，遠每食不過乾魚數片而已。然性剛嚴，吏人多以細事受鞭罰，遂為人所訟，徵下廷尉，被劾十數條。當時士大夫坐法皆不受測，遠度己無贓，就測立三七日不款，猶以私藏禁仗除名。

B

普通七年，改南州津為南津校尉，以（郭）祖深為之。加雲騎將軍，秩二千石。使募部曲二千。及至南州，公嚴清刻。由來王侯勢家出入津，不忌憲綱，俠藏亡命。祖深搜檢姦惡，不避強禦，動致刑辟。奏江州刺史邵陵王、太子詹事周捨贓罪。遠近側足，莫敢縱恣。淮南太守畏之如上府。

《北　史》

一八五〈齊本紀〉（卷六）

及神武（高歡）生而皇妣韓氏殂，養於同產姊婿鎮獄隊尉景家。神武既累世北邊，故習其俗，遂同鮮卑。長而深沈有大度，輕財重士，為豪**俠**所宗。目有精光，長頭高權，齒白如玉，少有人傑表。家貧，及娉武明皇后，始有馬，得給鎮為隊主。鎮將遼西段長常奇神武貌，謂曰：「君有康濟才，終不徒然。」便以子孫為託。及貴，追贈長司空，擢其子寧而用之。

一八六〈周本紀〉（卷九）

（宇文）肱任**俠**有氣幹。正光末，沃野鎮人破六韓拔陵作亂，其偽署王衛可瓌最盛，肱乃糾合鄉里，斬，其眾乃散。後陷鮮于修禮，為定州軍所破，戰沒於陣。武成初，追謚曰德皇帝。

一八七〈衛操列傳〉（卷二〇）

衛操字德元，代人也。少通俠，有才略。晉征北將軍衛瓘以操為牙門將。當魏神元時，頗自結附。及神元崩後，與從子雄及其宗室鄉親姬澹等來歸，說桓、穆二帝招納晉人。桓帝以為輔相，任以國事。及劉、石之亂，桓帝匡助晉氏。操稍遷至右將軍，封定襄侯。

一八八〈劉庫仁列傳〉（卷二〇）

劉庫仁字沒根，獨孤部人，劉武之宗也。少豪俠，有智略。母平文皇帝之女。昭成皇帝復以宗女妻之，為南部大人。建國三十九年，昭成暴崩，道武未立，苻堅以庫仁為陵江將軍、關內侯，令與衛辰分國眾統之。河西屬衛辰，河東屬庫仁。於是獻明皇后攜道武及衛、秦二王自賀蘭部來居焉。庫仁盡忠奉事，不以興廢易節。苻堅處衛辰在庫仁下，衛辰怒，叛，攻庫仁。庫仁伐衛辰，破之。苻堅賜庫仁妻公孫氏，厚其資送。

一八九〈鄧彥海列傳〉（卷二一）

彥海性貞素，言行可復，博覽經書，長於易筮。道武定中原，擢為著作郎，再遷尚書吏部郎。彥海明解制度，多識故事，與尚書崔宏參定朝儀、律令、音樂，及軍國文記、詔策多是彥海所為。賜爵下博子。道武詔彥海撰國記十餘卷，唯次年月，起居行事而已，未有體例。彥海謹於朝事，未嘗忤旨。其從父弟暉時為尚書郎，兇俠好奇，與定陵侯和跋厚。跋有罪誅，其子弟奔長安。或告暉將送出之，由是道武疑知情，遂賜彥海死。既而悔之。時人咸愍惜焉。

一九〇〈長孫道生列傳〉（卷二二）

承業（長孫冀歸字）少輕俠，鬬雞走馬，力爭殺人，因亡抵龍門將陳興德家。會赦，乃免。因以後妻羅前夫女呂氏妻興德兄興恩以報之。羅年大承業十餘歲，酷妒忌。承業雅相敬愛，無姬妾。童侍之中在承業左右嫌疑致死者，乃有數四。前妻張氏二子：子彥、子裕。羅生三子：紹遠、士亮、季亮。兄弟皆雄武。

一九一〈崔逞列傳〉（卷二四）

（崔）仲文弟叔仁，輕俠重衿期。仕魏為潁州刺史。以貪汙，為御史中丞高仲密劾，賜死於宅。臨刑，賦詩五絕，與諸弟訣別，不及其兄㥄，以其不甚營救也。

一九二〈谷渾列傳〉（卷二七）

谷渾字元沖，昌黎人也。父袞，彎弓三百斤，勇冠一時。仕慕容垂，位廣武將軍。

渾少有父風，任俠好氣，晚乃折節受經業，被服類儒者。道武時，以善隸書為內侍左右。太武時，累遷侍中、儀曹尚書，賜爵濮陽公。渾正直有操行，性不苟合。然愛重舊故，不以富貴驕人。時人以此稱之。在官廉直，為太武所器重，以渾子孫年十五以上，悉補中書學生。卒，謚曰文宣。

一九三〈盧觀列傳〉（卷三〇）

A

（盧）叔彪少機悟，豪率輕俠，好奇策，慕諸葛亮之為人。為賀拔勝荊州開府長史，勝不用其計，棄城奔梁。叔彪歸本縣，築室臨陂，優遊自適。齊文襄降辟書，辭疾不到。天保初，復徵，不得已，布裙露車至鄴。楊愔往候之，以為司徒諮議，辭疾不受。孝昭即位，召為中庶子，問以世事。叔彪勸討關西，畫地陳兵勢，請立重鎮於平陽，與彼蒲州相對，深溝高壘，運糧實之。帝深納之。又願自居平陽，成此謀略。帝命元文遙與叔彪參謀，撰平西策一卷。未幾，帝崩，事寢。武成即位，拜儀同三司，判都官尚書，出為金州刺史，遷太子詹事。

叔彪在鄉時，有粟千石，每至春夏，鄉人無食者，令自載取；至秋，任還其價而不計。歲歲常得倍餘。既在朝通貴，自以年老，兒子又多，遂營一大屋，曰：「歌於斯，哭於斯。」魏收常來詣之，訪以洛京舊事，不待食而起，云：「難為子費。」叔彪留之，良久食至，但有粟飧葵菜，木碗盛之，片脯而已。所將僕從，亦盡設食，一與此同。齊滅，歸范陽。遭亂城陷，與族弟士遂皆以寒餒斃。周將宇文神舉以二人有名德，收而葬之。

B

（盧）懷道弟宗道，性麤率，動作狂俠，位南營州刺史。嘗於晉陽置酒，賓遊滿座，中書舍人馬士達目其彈箜篌女妓，云手甚纖素，宗道即以遺之。士達固辭，宗道便命其家人，將解其腕，士達不得已而受之。將赴營州，於督亢城坡，大集鄉人，殺牛聚會。有一舊門人，醉言疎失，宗道令沈之於水。後坐酷濫除名。

一九四〈盧誕列傳〉（卷三〇）

論曰：盧玄緒業著聞，首應旌命，子孫繼，為世盛門。其文武功烈殆無足紀，而見重於時，聲高冠帶，蓋德業儒素有過人者。伯源兄弟亦有二方之風流，雅道家聲，諸子不逮。思道一代俊偉，而宦途寥落，雖曰窮通有命，抑亦不護細行之所致乎！潛及昌衡，雅素之紀，家風克嗣，堂構無虧。子剛使酒誕節，蓋亦明珠之類。長仁諫說可重，一簣而傾，惜矣！伯舉、仲宣，文雅俱劭。叔彪志尚宏遠，任俠好謀。文偉望重地華，早有志尚，間關夷險之際，終遇英雄之主，雖禮秩未弘，亦為佐命之一也。詢祖辭情艷發，早著聲名，負其才地，肆情矜矯，位遇未聞，弱年夭逝。若得終介眉壽，通塞未可量焉。叔倫質器洪厚，卷舒兼濟。子章殘忍為志，咎之徒也。景裕兄弟，雅業可宗，雖擇木異邦，而立名俱劭。辯損益成務，其殆優乎。勇雖文武異趣，各其美也。賁二三其德，雖取悅於報己，而移之在我，亦安能其罵人。見遺末路，尚何足怪？誕不殞儒業，亦足稱云。

一九五〈高允列傳〉（卷三一）

A

（高）祐從父弟翼，字次同，豪**俠**有風神。孝昌末，葛榮作亂，朝廷以翼山東豪右，即家拜勃海太守。翼率合境，徙居河、濟間，魏朝因置東冀州，以翼為刺史，封樂城縣侯。俄除定州刺史，以賊亂不行。及尒朱兆弒莊帝，翼保境自守，卒。中興初，贈使持節、侍中、太保、錄尚書、六州諸軍事、冀州刺史，謚曰文宣。子乾。

B

乾字乾邕。性明悟俊偉，有智略，美音容，進止都雅。少時輕**俠**，長而修改，輕財重義，多所交結。起家拜員外散騎侍郎，稍遷員外散騎常侍。魏孝莊之居藩也，乾潛相託附。及尒朱榮入洛，乾東奔於翼。乾兄弟本有從橫志，見榮殺害人士，謂天下遂亂，乃率河北流人反於河、濟間，受葛榮官爵。莊帝遣右僕射元羅巡撫三齊，乾兄弟相率出降。朝廷以乾為給事黃門侍郎，兼武衛將軍。尒朱榮以乾前罪，不應復居近要，莊帝聽乾解官歸鄉里。於是招納驍勇，以射獵自娛。

一九六〈崔鑒列傳〉(卷三二)

(崔)合弟康，少有志氣，陽平王順之為定州，秉為衛軍府錄事，帶母極令。時甄琛為長史，曾因公事，言競之間，以拳擊琛墜牀。琛以本縣長，笑而不論。其豪率若此。彭城王勰行壽春，秉從行，招致壯俠，以為部下。勰目之，謂左右曰：「吾當寄膽氣於此人。」累遷廣平內史，大納財貨，為清論所鄙。後為燕州刺史，為杜洛周攻圍，堅守歷年。朝廷遣都督元譚赴救，譚敗，秉奔定州，坐免官。太昌中，除驃騎大將軍、儀同三司。頻以老病求解，永熙三年，去職。薨，贈尚書令、司徒公，謚曰靖穆。

一九七〈李靈列傳〉(卷三三)

(李)悅祖弟顯甫，豪俠知名，集諸李數千家於殷州西山，開李魚川方五六十里居之，顯甫為其宗主。以軍功賜爵平棘子，位河南太守，贈安州刺史，謚曰安。

一九八〈宋繇列傳〉（卷三四）

（宋游道）重交游，存然諾之分。歷官嚴整，而時大納賄，分及親故之艱匱者，其男女孤弱，為嫁娶之，臨喪必哀，躬親營視。為司州綱紀，與牧昌樂、西河二王乖忤，及二王薨，每事經恤之。與頓丘李獎一面便定死交。獎曰：「我年位已高，會用弟為佐史，令弟北面於我足矣。」游道曰：「不能。」既而獎為河南尹，辟游道為中正，使者相屬，以衣帢待之，握手歡謔。元顥入洛，獎受其命，出使徐州，都督元孚與城人趙紹兵殺之。游道為獎頌冤得雪。又表為請贈，回已考一汎階以益之。又與劉廞結交，託廞弟粹於徐州殺趙紹。後劉廞伏法於洛陽，粹以徐州叛，官軍討平之，梟粹首於鄴市。孫騰使客告市司，得五百匹後，聽收。游道時為司州中從事，令家人作劉粹所親，於州陳訴，依律判許，而奏之。敕至，市司猶不許，游道杖市司，勒使速付。騰聞大怒，游道立理以抗之。既收粹尸，厚加贈遺。李獎二子構、訓居貧，游道後令其求三富人死事判免之，凡得錢百五十萬，盡以入構、訓。其使氣黨俠如此。時人語曰：「游道獼猴面，陸操科斗形，意識不關見，何謂醜者必無情。」

一九九〈裴延儁列傳〉（卷三八）

（裴）良從父兄子慶孫，字紹遠，少孤，性倜儻，重然諾。正光末，州吐京群胡薛悉公、馬牒騰並自立為王，眾至數萬。詔慶孫為募人別將，招率鄉豪以討之。慶孫每摧其鋒，進軍深入，至雲臺郊，大戰郊西，賊眾大潰。徵赴都，除直後。於是賊復鳩集，北連蠡升，南通絳蜀，兇徒轉盛。以慶孫為別將，從軹關入討，深入二百餘里，至陽胡城。朝廷以此地被山帶河，衿要之所，明帝末，遂立邵郡，因以慶孫為太守。慶孫務安緝之，咸來歸業。介朱榮之死也，世隆擁眾北度，詔慶孫為大都督，與行臺源子恭率眾追擊。慶孫與世隆密通，事洩，追還河內斬之。

慶孫任**俠**有氣，鄉曲壯士及好事者多相依附，撫養咸有恩紀。在郡日，逢歲饑凶，四方遊客恒有百餘，慶孫自以家糧贍之。性雖麤武，愛好文流，與諸才學之士咸相交結，輕財重義，坐客恒滿，是以為時所稱。

二〇〇〈裴**俠**列傳〉（卷三八）

大統三年，領鄉兵從戰沙苑，先鋒陷陣。**俠**本名協，至是周文帝嘉其勇決，乃曰：「仁者必勇。」因命名**俠**焉。以功進爵為侯。王思政鎮玉壁，以**俠**為長史。齊神武以書招思政，思政令**俠**草報書甚壯烈。周文善之曰：「雖魯仲連無以加也。」

二〇一〈薛安都列傳〉（卷三九）

薛安都字休達，河東汾陰人也。父廣，晉上黨太守。安都少驍勇，善騎射，頗結輕**俠**，諸兄患之。安都乃求以一身分出，不取片資，兄許之，居於別廄。遠近交遊者爭有送遺，馬牛衣服什物充滿其庭。真君五年，與東雍州刺史沮渠康謀逆，事發奔宋。

二〇二〈畢衆敬列傳〉（卷三九）

A

子元賓（畢眾敬子），少豪**俠**有武幹，涉獵書史。與父同建勳誠，至京師，俱為上賓，賜爵須昌侯。後拜兗州刺史，假彭城公。父子相代為本州，當世榮之。時眾敬以老還鄉，常呼元賓為使君。每元賓聽政時，乘板輿出至元賓所，先遣左右敕不聽起，觀其斷決，忻忻然喜見顏色。眾敬善持家業，猶能督課田產，大致儲積。元賓為政清平，善撫人物，百姓愛樂之。以父憂解任，喪中，遙授長兼殿中尚書。卒，贈衛尉卿，謚曰平。

B

義雲（畢眾敬曾孫）小字陁兒。少麤**俠**，家在兗州北境，常劫掠行旅，州里患之。晚方折節從官，累遷尚書都官郎中。性嚴酷，事多幹了。齊文襄作相，以為稱職，令普勾偽官，專以車輻考掠，所獲甚多，然大起怨謗。曾為司州吏所訟，云其有所減截，并改換文書。文襄以其推偽，眾人怨望，並無所問。乃拘吏，數而斬之。因此銳情訊鞫，威名日盛。

二〇三〈楊敷列傳〉（卷四一）

A

（劉）元進，餘杭人。少好任俠，為州里所宗，兩手各長尺餘，臂垂過膝。屬遼東之役，百姓騷動，元進自以相表非常，遂聚亡命。會玄感起於黎陽，元進應之。旬月，眾至數萬，將度江而玄感敗。吳郡朱燮晉陵管崇亦舉兵，有眾七萬，共迎元進，奉以為主，據吳郡，稱為天子，以燮崇俱為僕射，置百官。帝令將軍吐萬緒、光祿大夫魚俱羅討焉。為緒所敗，朱燮戰死。俄而緒、俱羅竝得罪。江都郡丞王世充發兵擊之。有大流星墜於江都，未及地而南逝，磨拂竹木皆有聲，至吳郡而落于地。元進惡之，令掘地入二丈，得一石，徑丈餘。數日，失石所在。世充度江，元進遣兵人各持茅，因風縱火。世充大懼，將棄營。遇反風火轉，元進眾懼燒而退，世充大破之。元進及崇俱為世充所殺。世充坑其眾於黃亭澗，死者三萬人。

B

處道（楊素字）少而輕俠，俶儻不羈，兼文武之資，包英奇之略，志懷遠大，以功名自許。屬隋文帝將清六合，委以腹心之寄。掃妖氛於牛斗，江海恬波；摧驍猛於龍庭，匈奴遠遁。若其夷凶靜亂，功臣莫居其右；覽其奇策高文，足為一時之傑。然以智詐自立，不由仁義之道，阿諛時主，高下其心。營構離宮，陷君於奢侈；謀廢冢嫡，致國於傾危。終使宗廟丘墟，市朝霜露，究其禍敗之源，實乃素之由也。

二〇四〈劉芳列傳〉（卷四二）

及武成崩，和士開欲改元，議者各異。逖（劉芳孫）請為「武平」，私謂士開曰：「武平反為明輔，逖作此以為公。」士開悅而從之。時士開為眾口所排，婁定遠同輔政，逖遂回附之，使得西貨，悉以餉定遠。定遠外任，逖不自安，又陰結斛律明月、胡長仁以自固。士開知之，未甚信，忽於明月門巷逢之，彌以為實。初，逖名宦未達時，欲事祖珽。珽未原，謂人曰：「我言彭城楚子，應有氣**俠**，唯將崔季舒詩示人，殊乖氣望。」逖乃為弟娶珽女，遂成密好。珽之將訴趙彥深、和士開也，先與逖謀，逖乃告二人，故二人得為之計。珽被黜，令弟出其妻。及是，逖解士開所嫌。尋出為仁州刺史。珽乃要行臺尚書盧潛陷逖，許潛重遷。潛曰：「如此事，吾不為也。」更戒逖而護之。

二〇五〈傅豎眼列傳〉（卷四五）

祖父融，南徙度河，家于磐陽，為鄉閭所重。性豪**俠**，有三子，靈慶、靈根、靈越，竝有材力。融以自負，謂足為一時之雄。嘗謂人曰：「吾昨夜夢：有一駿馬，無堪乘者，人曰『何由得人乘』，有一人曰『唯傅靈慶堪乘此馬』；又有弓一張，亦無人堪引，人曰『唯有傅靈根可彎此弓』；又有數紙文書，人皆讀不能解，人曰『唯有傅靈越能解此文』。」融謂其三子文武材幹足以駕馭當世，常從容謂鄉人曰：「汝聞之不？鬲蟲之子有三靈，此圖讖文也。」好事者然之，故豪勇士多相歸附。

二〇六〈陽尼列傳〉（卷四七）

（陽）固字敬安，性俶儻，不拘小節，少任俠，好劒客，弗事生產。年二十六，始折節好學，博覽篇籍，有文才。太和中，從大將軍、宋王劉昶征義陽，板府法曹行參軍。昶性嚴暴，三軍戰慄，無敢言者。固啟諫，并面陳事宜。昶大怒，欲斬之，使監當攻道。固在軍勇決，意志閑雅，了無懼色，昶甚奇之。軍還，言之孝文。年三十餘，始辟大將軍府參軍事，累遷書侍御史，多所劾奏。

二〇七〈祖瑩列傳〉（卷四七）

瑩以文學見重，常語人云：「文章須自出機杼，成一家風骨，何能共人同生活也。」蓋譏世人好竊他文以為己用。而瑩之筆札亦無乏天才，但不能均調，玉石兼有，其製裁之體減於袁、常焉。性爽俠，有節氣，士有窮厄以命歸之，必見存拯，時亦以此多之。其文集行於世。子珽襲。

二〇八〈毛遐列傳〉（卷四九）

遐少任**俠**，有智謀。世為豪右，貲產巨億，士流貧乏者，多被賑贍。故中書郎檀翥、尚書郎公孫範等，常依託之。至於自供衣食，麤弊而已。死之日，鄉黨赴葬，咸共痛惜。

二〇九〈乙弗朗列傳〉（卷四九）

朗少有**俠**氣，在鄉里以善騎射稱。孝莊末，北邊擾亂，避地居并、肆間。尒朱榮見而重之，甚相接待，以功封蓮勺子。後隸賀拔岳，從尒朱天光西討，為岳左廂都督。孝武帝之禦齊神武，授朗閤內大都督。及帝西入，詔朗為軍司，先驅靖路。至長安，封長安縣公。卒於岐州刺史。

初，朗患積冷，周文賜三石東生散，令朗法服之，使人問疾，朝夕相繼，見重如此。臨終惟云「恨不見河、洛清平，重反京縣」，三舉手槌牀，而便氣盡。贈太尉。

二一〇〈辛雄列傳〉（卷五〇）

（辛）德源族叔珍之，少有氣**俠**，歷位北海太守，後行平州事，卒於州。贈驃騎大將軍、洛州刺史，謚曰恭。

二一一〈齊宗室諸王列傳〉（卷五一）

論曰：趙郡王以跗蕚之親，當顧命之重，安夫一德，固此貞心，踐畏途而不疑，履危機而莫懼，以斯忠義，取斃凶慝。豈道光四海，不遇周成之明；將朝去三仁，終見殷墟之禍。不然，則邦國殄瘁，何若斯之速歟？清河屬經綸之期，青雲自致，出將入相，翊成鴻業。雖漢朝劉賈，魏室曹洪，俱未足論其風烈，適足以彰文宣之失德焉思好屬昏亂之機，歸彥因猜嫌之釁，咫尺鄴都，以速其禍，智小謀大，理則宜然。神武諸王，多有聲譽。永安以諫爭遇禍，固齊室之比干。彭城莅人布政，乃與循良比迹，求之近古，未為易遇。上黨（剛肅王高渙）中威淮海，受辱牢穽，以英俠之氣，迫悲歌之思，欲食藜藿之羹，處茅茨之下，其可得乎！馮翊廉慎閑明，妄被譏慝，以武成陰忌之朝，而見免夫角弓之刺，已為幸矣。

二一二〈金祚列傳〉（卷五三）

金祚字神敬，安定人也。性驍雄，尚氣俠。魏末，以軍功至太中大夫，隨元天穆討平邢杲，歷涇、岐二州刺史。後大行臺賀拔岳表授東雍州刺史，令討仇池氏楊紹先於百頃。未還，岳為侯莫陳悅所殺。祚克仇池還，莫知所歸。俄而神武遣行臺侯景慰諭，祚遂解甲而還，封安定縣公。

二一三〈任祥列傳〉（卷五三）

子胄，性輕俠，頗敏慧，少在神武左右。天平中，擢為東郡太守。家本豐財，又多聚歛，動極豪華，賓客往來，將迎至厚。興和末，神武攻玉壁還，留清河公岳為行臺，鎮守晉州，以胄隸之。胄飲酒游縱，不勤防守，神武責之。懼，遂潛遣使送款於周。為人所糾，推勘未得實，神武特免之。胄內不自安，乃與儀同尒朱文暢、參軍房子遠、鄭仲禮等陰圖弒逆，伏誅。

二一四〈張保洛列傳〉（卷五三）

張保洛，自云本出南陽西鄂。家世好賓客，尚氣俠，頗為北土所知。保洛少便弓馬。初從葛榮。榮敗，仍為尒朱榮統軍。後隸齊神武。神武起兵，保洛為帳內。從破尒朱兆於廣阿及韓陵戰。元象初，為西夏州刺史，以前後功，封安武縣伯。又從戰芒山，進爵為侯。文襄嗣事，歷梁州刺史，進爵為公。齊受禪，加開府，仍為刺史。聚斂，為百姓所患。濟南初，兼侍中，尋出為滄州刺史，封敷城郡王。以聚歛免官，奪王爵。卒，贈前官，追復本封。

二一五〈薛脩義列傳〉（卷五三）

脩義少而姦俠，輕財重氣。魏正光末，天下兵起，特詔募能得三千人者，用為別將，脩義得七千餘人，假安北將軍、西道別將。以軍功，拜龍門鎮將。

二一六〈尉景列傳〉（卷五四）

景性溫厚，頗有俠氣。魏孝昌中，北鎮反，景與神武入杜洛周中，仍共歸尒朱榮以軍功，封博野縣伯。後從神武起兵信都。韓陵之戰，唯景所統失利。神武入洛，留景鎮鄴。尋進封為公。景妻常山君，神武之姊也。以勳戚，每有軍事，與厙狄干常被委重。而不能忘懷財利，神武每嫌責之。轉冀州刺史，又大納賄，發夫獵，死者三百人。厙狄干與景在神武坐，請作御史中尉。神武曰：「何意下求卑官？」干曰：「欲捉尉景。」神武大笑，令優者石董桶戲之。董桶剝景衣曰：「公剝百姓，董桶何為不剝公？」神武誡景曰：「可以無貪也。」景曰：「與爾計生活孰多，我止人上取，爾割天子調。」神武笑不答。

二一七〈韓軌列傳〉（卷五四）

子晉明嗣。天統中，改封東萊王。晉明有俠氣，諸勳貴子孫中，最留心學問。好酒誕縱，招飲賓客，一席之費，動至萬錢，猶恨儉率。朝廷欲處之貴要地，必以疾辭，告人云：「廢人飲美酒，對名勝。安能作刀筆吏，披反故紙乎？」武平末，除尚書左僕射，百餘日，便謝病解官。

二一八〈敬顯儁列傳〉（卷五五）

敬顯儁字孝英，陽平太平人也。少英俠，從神武信都義舉，歷位度支尚書。神武攻鄴，顯儁督造土山，以功封永安縣侯。出內多歷顯官，所在著名。河清中，卒於兗州刺史。

二一九〈平鑒列傳〉（卷五五）

鑒少聰敏，受學於徐遵明，受詩、禮於弘農楊文懿，通大義，不為章句。雅有豪俠氣。孝昌末，見天下將亂，乃之洛陽，與慕容儼以客騎馬為業，兼習弓矢。鑒性巧，夜則胡畫，以供衣食。俄奔尒朱榮，榮大奇之。以軍功，累遷襄州刺史。神武起兵信都，鑒棄州自歸，即授本官。

二二〇〈周宗室列傳〉（卷五七）

莒莊公（宇文）洛生，少任俠，好施愛士，北州賢俊皆與之游，而才能多出其下。及葛榮破鮮于脩禮，以洛生為漁陽王，仍領德皇帝餘，時人皆呼為洛生王。洛生善撫將士，是以克獲常冠諸軍。尒朱榮定山東，時洛生在虜中，榮雅聞其名，心憚焉。尋為榮所害。保定初，追贈大將軍，封莒國公，謚曰莊。

二三一〈李弼列傳〉（卷六〇）

世充嘗於洛西，與密相拒百餘日。武陽郡丞元寶藏、黎陽賊帥李文相、洹水賊帥張昇、清河賊帥趙君德、平原賊帥郝孝德並歸密，共襲破黎陽倉，據之。周法明舉江、黃之地以附密。齊郡賊帥徐圓朗、任城大**俠**徐師仁、淮陽太守趙他等前後款附以千百數。

二三二〈宇文貴列傳〉（卷六〇）

廢帝三年，詔貴代尉遲鎮蜀。時隆州人開府李光易反於鹽亭，攻圍隆州；而隆州人李拓亦聚眾反，開府張道應之。貴乃命開府叱奴與牧隆州，又令開府成亞擊拓及道降之，並送京師。除益州刺史，未就拜小司徒。先是蜀人多劫盜，貴乃召任**俠**傑健者署為游軍二十四部，令其督捕，由是頗息。

二三三〈侯莫陳崇列傳〉（卷六〇）

崇兄順，少豪**俠**有志度。初事尒朱榮為統軍。普泰元年，封木縣子。後從魏孝武入關。順與周文帝同里閈，素相友善，且崇先在關中，周文見之甚歡，進爵彭城郡公。及梁仚定圍逼河州，以順為大都督，與趙貴討破之，即行河州事。

二二四〈權景宣列傳〉（卷六一）

景宣少聰悟，有氣**俠**，宗黨皆歎異之。年十七，魏行臺蕭寶夤見而奇之，表為輕車將軍。及寶夤敗，景宣歸鄉里。周文帝平隴右，擢為行臺郎中。孝武西遷，授鎮遠將軍、步兵校尉，加平西將軍、秦州大中正。大統初，轉祠部郎中。景宣曉兵權，有智略。從周文拔弘農，破沙苑，皆先登陷陣。轉外兵郎中。從開府于謹援洛陽，景宣督課糧儲，軍以周濟。

二二五〈韋祐列傳〉（卷六六）

法保（韋祐字）少好遊**俠**，而質直少言，所與交遊，皆輕猾亡命。父沒，事母以孝聞。慕李長壽之為人，遂娶其女，因寓居闕南。正光末，王公避難者或依之，多得全濟，以此為貴遊所德。及孝武西遷，法保赴行在所，封固安縣男。

二二六〈陳欣列傳〉（卷六六）

陳欣字永怡，宜陽人也。少驍勇，有氣**俠**，姿貌魁岸，同類咸敬憚之。孝武西遷後，欣乃於辟惡山招集勇敢少年，寇掠東魏，仍密遣使歸附。授立義大都督，賜爵霸城縣男。累遷宜陽郡守。恭帝二年，進位驃騎大將軍、開府儀同三司，加侍中、宜陽邑大中正，賜姓尉遲氏。周文以欣著績累載，贈其祖昆及父興孫俱為儀同三司，位刺史。東魏洛州刺史獨孤永業，號有智謀，往來境上。欣與韓雄等恒令間諜覘其動靜，齊兵每至，輒破之。故永業深憚欣等，不敢為寇。周孝閔帝踐阼，進爵許昌縣公。後除熊州刺史，卒於州。

欣與韓雄里閈姻婭，少相親昵，俱總兵境上三十餘載。每禦扞，兩人相赴，常若影響。故數對勍敵，而常保功名。雖並有武力，至於挽彊射中，欣不如雄；散財施惠，得士眾心，則雄不如欣。身死之日，將吏荷其恩德，莫不感慟。子萬敵嗣。朝廷以欣雅得士心，還令萬敵領其部曲。

二二七〈令狐整列傳〉（卷六七）

後拜滄州刺史，在職數年，風教大洽，稱為良二千石。開皇四年，上幸洛陽。熙來朝，吏人恐其遷，悲泣於道。及還，百姓出境迎謁，歡叫盈路。在州獲白烏、白、嘉麥，甘露降於庭前柳樹。八年，徙為河北道行臺度支尚書。吏人追思，相與立碑頌德。及行臺廢，累遷鴻臚卿。後以本官兼吏部尚書，往判五曹尚書事，號為明幹。上甚任之。及上祠太山，還次汴州，惡其殷盛，多有姦俠，以熙為汴州刺史。下車，禁游食，抑工商，人有向術開門者杜之，船客停於郭外，星居者勒為聚落，僑人逐令歸本，其有滯獄，並決遣之，令行禁止。上聞而嘉之，顧侍臣曰：「鄴都，天下難臨處，敕相卅刺史豆盧通，令習熙法。」其年來朝，考績為天下之最。賜帛三百疋，頒告天下。

二二八〈楊𢹂列傳〉（卷六九）

𢹂少豪**俠**，有志氣。魏孝昌中，尒朱榮殺害朝士，大司馬、城陽王元徽逃難投𢹂，𢹂藏而免之。孝莊帝立，徽乃出，復為司馬。由是𢹂以義烈聞，擢拜伏波將軍、給事中。元顥入洛，孝莊北度大行。及尒朱榮奉帝南討，至馬渚，𢹂乃具船以濟王師。顥平，封肥如縣伯，加鎮遠將軍、步兵校尉、行濟北郡事。進都督、平東將軍、太中大夫。

二二九〈梁士彥列傳〉（卷七三）

梁士彥字相如，安定烏氏人也。少任**俠**，好讀兵書，頗涉經史。周武帝將平東夏，聞其勇決，自扶風郡守除為九曲鎮將，進位上開府，封建威縣公，齊人甚憚之。後以熊州刺史從武帝拔晉州，進位大將軍，除晉州刺史。及帝還後，齊後主親攻圍之，樓堞皆盡，短兵相接。士彥慷慨自若，謂將士曰：「死在今日，吾為爾先！」於是勇烈齊奮，呼聲動地，無不一當百。齊師少却，乃令妻妾及軍人子女，晝夜修城，三日而就。武帝六軍亦至，齊師圍解。士彥見帝，持帝鬚泣，帝亦為之流涕。時帝欲班師，士彥叩馬諫。帝從之，執其手曰：「朕有晉州，為平齊之基，宜善守之。」及齊平，封郕國公，位上柱國、雍州主簿。宣帝即位，除徐州總管。與烏丸軌禽陳將吳明徹、裴忌於呂梁，略定淮南地。

二三〇〈元諧列傳〉（卷七三）

元諧，河南洛陽人也。家世貴盛。諧性豪俠，有氣調。少與隋文帝同受業於國子，甚相友愛。後以軍功，累遷大將軍。及帝為相，引致左右。諧謂帝曰：「公無黨，譬如水間一堵牆，大危矣。公其勉之！」及帝受禪，顧諧笑曰：「水間墻竟何如也？」進位上大將軍，封樂安郡公。奉詔參修律令。

二三一〈虞慶則列傳〉（卷七三）

A

慶則幼雄毅，性倜儻，身長八尺，有膽智，善鮮卑語，身被重鎧，帶兩鞬，左右馳射，本州豪俠皆敬憚之。初以射獵為事，中更折節讀書，常慕傅介子、班仲升之為人。仕周，為中外府外兵參軍事，襲爵沁源縣公。越王盛討平稽胡，將班師，內史下大夫高熲與盛謀，須文武幹略者鎮遏之，表請慶則，於是拜石州總管。甚有威惠，稽胡慕義歸者八千餘戶。

B

慶則子孝仁，幼豪俠任氣，拜儀同，領晉王親信。坐父事除名。煬帝嗣位，以藩邸之舊，授候衛長史，兼領金谷監，監禁苑。有巧思，頗稱旨。大業九年，伐遼，遷都水丞，充使監運，頗有功。然性奢華，以駱駝負函盛水養魚而自給。後或告其為不軌，遂見誅。

二三二〈宇文弢列傳〉（卷七五）

武帝將謀出兵河陽以伐齊，弢進策曰：「齊氏建國，于今累世，雖曰無道，尚有其人。今若用兵，須擇其地。河陽要衝，精兵所聚，盡力攻圍，恐難得志。彼汾之曲，戍小山平，攻之易拔，用武之地也。」帝不納，師竟無功。建德五年，大舉伐齊，卒用弢策。於是募三輔豪**俠**少年數百人為別隊，從帝攻拔晉州，身被三瘡，苦戰不息，帝奇而壯之。因從平齊，以功拜上儀同，封武威縣公。

二三三〈李圓通列傳〉（卷七五）

政字弘道，倜儻有文武大略，善鐘律，便弓馬。少養宮中，年十七，為太子千牛備身。京都大**俠**劉居士重政才氣，數從之遊。圓通子孝常與政相善，並與居士交結。及居士伏誅，政及孝常從坐，上以功臣子，撻之二百而赦之。由是不得調。煬帝時，歷位協律郎、通事謁者、兵曹承務郎。帝以其才，甚重之。宇文化及之亂，以為太常卿。後歸大唐，為梁州總管，遇賊見殺。

二三四〈段文振列傳〉（卷七六）

長子詮，位武牙郎將。次子綸，少以俠氣聞。

二三五〈周羅睺列傳〉（卷七六）

羅睺年十五，善騎射，好鷹狗，任俠放蕩，收聚亡命，陰習兵書。從祖景彥誡之曰：「吾世恭謹，汝獨放縱，若不喪身，必將滅吾族。」羅睺終不改。仕陳，為句容令。後從大都督吳明徹與齊師戰於江陽，為流矢中左目。齊師之圍明徹於宿預也，諸軍相顧，莫有鬬心。羅睺躍馬突進，莫不披靡。太僕卿蕭摩訶副之，斬首不可勝計。進師徐州，與周將梁士彥戰於彭城，摩訶臨陣墮馬，羅睺進救之於重圍之內，勇冠三軍。明徹之敗，羅睺全眾而歸。後以軍功除右軍將軍，封始安縣伯，總檢校揚州中外諸軍事。賜金銀三千兩，盡散之將士，分賞驍雄。陳宣帝深歎美之。出為晉陵太守，進爵為侯。後除使持節、都督豫章十郡諸軍事、豫章內史。獄訟庭決，不關吏手，人懷其惠，立碑頌德。

二三六〈劉權列傳〉（卷七六）

權少有俠氣，重然諾，藏亡匿死，吏不敢過門。後更折節好學，動循法度。仕齊，位行臺郎中。齊亡，周武帝以為假淮州刺史。開皇中，以車騎將軍領鄉典兵。從晉王廣平陳，進授開府儀同三司。宋國公賀若弼甚禮之。十二年，拜蘇州刺史，賜爵宋城縣公。時江南初平，權撫以恩信，甚得人和。煬帝嗣位，拜衛尉卿，進位銀青光祿大夫。

二三七〈麥鐵杖列傳〉（卷七八）

（沈）光少驍捷，善戲馬，為天下之最。略綜書記，微有詞藻，常慕立功名，不拘小節。家貧，父兄並以傭書為事，光獨跅弛，交通輕**俠**，為京師惡少年所附。人多贍遺，得以養親，每致甘食美服，未嘗困匱。初建禪定寺，其中幡竿高十餘丈，適值繩絕，非人力所及。光謂僧曰：「當相為上繩。」諸僧驚喜。光因取索口銜，拍竿而上，直至龍頭。繫繩畢，手足皆放，透空而下，以掌拓地，倒行十餘步。觀者駭悅，莫不嗟異，時人號為「肉飛仙」。

二三八〈儒林列傳〉（卷八一）

（李）業興愛好墳籍，鳩集不已，手自補修，躬加題帖，其家所有，垂將萬卷。覽讀不息，多有異聞，諸儒服其深博。性豪**俠**，重意氣，人有急難，委命歸之，便能容匿。與其好合，傾身無悋；有乖忤，便即疵毀，乃至聲色，加以謗罵。性又躁隘，至於論難之際，無儒者之風。每語人云：「但道我好，雖知妄言，故勝道惡。」務進忌前，不顧後患，時人以此惡之。至於學術精微，當時莫及。業興二子，崇祖傳父業。

二三九〈孝行列傳〉（卷八四）

（王）弟頍，字景文。年數歲而江陵亡，同諸兄入關。少好游俠，年二十，尚不知書，為其兄顒所責怒。於是感激，始讀孝經、論語，晝夜不倦，遂讀左傳、禮、易、詩、書，乃歎曰：「書無不可讀者。」勤學累載，遂徧通五經，究其旨趣，大為儒者所稱。解綴文，善談話。年三十，周武帝引為露門學士，每有議決，多頍所為。性識甄明，精力不倦，好讀諸子，徧記異書，以博物稱。又曉兵法，益有縱橫之志，每歎不逢時，常以將相自許。

二四〇〈節義列傳〉（卷八五）

A

郭琰字神寶，京兆人也。少喪父，事母以孝聞。孝武帝之居藩邸，琰以通俠被知。及即位，封新豐縣公，除洛州刺史。孝武西入，改封馮翊郡公，授行臺尚書、潼關大都督。大統中，齊神武遣大都督竇泰襲恒農。時琰為行臺，眾少戰敗，乃奔洛州。至刺史泉企城守力窮，城將陷，乃仰天哭曰：「天乎！天乎！何由縱此長蛇，而不助順也？」言發涕流，不能自止。兵士見之，咸自厲憤。竟為東魏將高敖曹所禽。復謂敖曹曰：「天子之臣，乃為賊所執。」敖曹素聞其名，義不殺之，送於并州。見齊神武，言色不屈，見害。

B

昝龍超，晉壽人也。性尚義**俠**，少為鄉里所重。永熙中，梁將樊文熾來寇益州，刺史傅和孤城固守。龍超每出戰，輒破之。時攻圍既久，糧矢方盡，刺史遣龍超夜出，請援於漢中，遂為文熾所得。許以封爵，使告城中曰：「外無援軍，宜早降。」乃置龍超於攻樓上。龍超乃告刺史曰：「援軍數萬，近在大寒。」文熾大怒，火炙殺之，至死，辭氣不撓。大統二年，詔贈龍驤將軍、巴州刺史。

二四一〈僭僞附庸列傳〉（卷九三）

梁帝蕭詧字理孫，蘭陵人，武帝之孫，昭明太子統之第三子也。幼好學，善屬文，尤長佛義，特為梁武嘉賞。梁普通中，封曲江縣公。及昭明太子薨，封詧岳陽郡王，位東揚州刺史，領會稽太守。初，昭明卒，梁武捨?兄弟而立簡文，內常愧之，故寵亞諸子。以會稽人物殷阜，一都之會，故有此授，以慰其心。詧既以其昆季不得為嗣，常懷不平。又以梁武衰老，朝多秕政，有敗亡之漸。遂蓄聚貨財，交通賓客，招募輕**俠**，折節下之。其勇敢者，多歸附焉。左右遂至數千人，皆厚加資給。

二四二〈序傳〉（卷一〇〇）

長子（李）彧，字子文，尚莊帝姊豐亭公主，封東平郡公，位侍中、左光祿大夫、中書監、驃騎大將軍、開府儀同三司、廣州刺史。彧性豪俠，尒朱榮之死也，武毅之士，皆彧所進。孝靜初，陷法見害。尋詔復公爵。子道端襲。彧七子，並彭城王勰女豐亭公主所生，以道、德、仁、義、禮、智、信為名。第四子義雄，有識悟，勤學，手不釋書。仕齊，位瑯琊郡守。義雄弟禮成，最知名。

《隋　書》

二四三〈地理志〉（卷三〇）

冀州於古，堯之都也。舜分州為十二，冀州析置幽、并。其於天文，自胃七度至畢十一度，為大梁，屬冀州。自尾十度至南斗十一度，為析木，屬幽州。自危十六度至奎四度，為娵訾，屬并州。自柳九度至張十六度，為鶉火，屬三河，則河內、河東也。準之星次，本皆冀州之域，帝居所在，故其界尤大。至夏廢幽、并入焉，得唐之舊矣。信都、清河、河間、博陵、恒山、趙郡、武安、襄國，其俗頗同。人性多敦厚，務在農桑，好尚儒學，而傷於遲重。前代稱冀、幽之士鈍如椎，蓋取此焉。俗重氣**俠**，好結朋黨，其相赴死生，亦出於仁義。故班志述其土風，悲歌忼慨，椎剽掘冢，亦自古之所患焉。前諺云「仕官不偶遇冀部」，實弊此也。魏郡，鄴都所在，浮巧成俗，彫刻之工，特云精妙，士女被服，咸以奢麗相高，其性所尚習，得京、洛之風矣。語曰：「魏郡、清河，天公無奈何！」斯皆輕狡所致。汲郡、河內，得殷之故壤，考之舊說，有紂之餘教。汲又衛地，習仲由之勇，故漢之官人，得以便宜從事，其多行殺戮，本以此焉。今風俗頗移，皆向於禮矣。長平、上黨，人多重農桑，性尤樸直，蓋少輕詐。

河東、絳郡、文城、臨汾、龍泉、西河，土地沃少瘠多，是以傷於儉嗇。其俗剛強，亦風氣然乎？太原山川重複，實一都之會，本雖後齊別都，人物殷阜，然不甚機巧。俗與上黨頗同，人性勁悍，習於戎馬。離石、鴈門、馬邑、定襄、樓煩、涿郡、上谷、漁陽、北平、安樂、遼西，皆連接邊郡，習尚與太原同俗，故自古言勇**俠**者，皆推幽、并云。然涿郡、太原，自前代已來，皆多文雅之士，雖俱曰邊郡，然風教不為比也。

二四四〈梁士彥列傳〉（卷四〇）

梁士彥字相如，安定烏氏人也。少任**俠**，不仕州郡。性剛果，喜正人之是非。好讀兵書，頗涉經史。周世以軍功拜儀同三司。武帝將有事東夏，聞其勇決，自扶風郡守除九曲鎮將，進位上開府，封建威縣公，齊人甚憚焉。尋遷熊州刺史。

二四五〈元諧列傳〉（卷四〇）

元諧，河南雒陽人也，家代貴盛。諧性豪**俠**，有氣調。少與高祖同受業於國子，甚相友愛。後以軍功，累遷大將軍。及高祖為丞相，引致左右。諧白高祖曰：「公無黨援，譬如水間一堵墻，大危矣。公其勉之。」尉迥作亂，遣兵寇小鄉，令諧擊破之。及高祖受禪，上顧諧笑曰：「水間墻竟何如也？」於是賜宴極歡。進位上大將軍，封樂安郡公，邑千戶。奉詔參修律令。

二四六〈虞慶則列傳〉（卷四〇）

A 虞慶則，京兆櫟陽人也。本姓魚。其先仕於赫連氏，遂家靈武，代為北邊豪傑。父祥，周靈武太守。慶則幼雄毅，性倜儻，身長八尺，有膽氣，善鮮卑語，身被重鎧，帶兩鞬，左右馳射，本州豪俠皆敬憚之。初以弋獵為事，中便折節讀書，常慕傅介子、班仲升為人。仕周，釋褐中外府行參軍，稍遷外兵參軍事，襲爵沁源縣公。宣政元年，授儀同大將軍，除并州總管長史。二年，授開府。時稽胡數為反叛，越王盛、內史下大夫高熲討平之。將班師，熲與盛謀，須文武幹略者鎮遏之。表請慶則，於是即拜石州總管。甚有威惠，境內清肅，稽胡慕義而歸者八千餘戶。

B 慶則子孝仁，幼豪俠任氣，起家拜儀同，領晉王親信。坐父事除名。煬帝嗣位，以藩邸之舊，授候衛長史，兼領金谷監，監禁苑。有巧思，頗稱旨。九年，伐遼，授都水丞，充使監運，頗有功。然性奢華，以駱駝負函盛水養魚而自給。十一年，或告孝仁謀圖不軌，遂誅之。其弟澄道，東宮通事舍人，坐除名。

二四七〈楊素列傳〉（卷四八）

史臣曰：楊素少而輕俠，俶儻不羈，兼文武之資，包英奇之略，志懷遠大，以功名自許。高祖龍飛，將清六合，許以腹心之寄，每當推轂之重。掃妖氛於牛斗，江海無波，摧驍騎於龍庭，匈奴遠遁。考其夷凶靜亂，功臣莫居其右，覽其奇策高文，足為一時之傑。然專以智詐自立，不由仁義之道，阿諛時主，高下其心，營搆離宮，陷君於奢侈，謀廢冢嫡，致國於傾危。終使宗廟丘墟，市朝霜露，究其禍敗之源，實乃素之由也。幸而得死，子為亂階，墳土未乾，闔門菹戮，丘隴發掘，宗族誅夷。則知積惡餘殃，信非徒語。多行無禮必自及，其斯之謂歟！約外示溫柔，內懷狡筭，為蛇畫足，終傾國本，俾無遺育，宜哉！

二四八〈令狐熙列傳〉（卷五六）

及上祠太山還，次汴州，惡其殷盛，多有姦俠，於是以熙為汴州刺史。下車禁游食，抑工商，民有向街開門者杜之，船客停於郭外星居者勸為聚落，僑人逐令歸本，其有滯獄，並決遣之，令行禁止，稱為良政。上聞而嘉之，顧謂侍臣曰：「鄴都，天下難理處也。」勑相州刺史豆盧通令習熙之法。其年來朝，考績為天下之最，賜帛三百匹，頒告天下。

二四九〈宇文弼列傳〉（卷五六）

宇文弼字公輔，河南洛陽人也，其先與周同出。祖直力覲，魏鉅鹿太守。父珎，周宕州刺史。弼慷慨有大節，博學多通。仕周為禮部上士，嘗奉使鄧至國及黑水、龍涸諸羌，前後降附三十餘部。及還，奉詔修定五禮，書成奏之，賜公田十二頃，粟百石。累遷少吏部，擢八人為縣令，皆有異績，時以為知人。轉內史都上士。武帝將出兵河陽以伐齊，謀及臣下，弼進策曰：「齊氏建國，于今累葉，雖曰無道，藩屏之寄，尚有其人。今之用兵，須擇其地。河陽衝要，精兵所聚，盡力攻圍，恐難得志。如臣所見，彼汾之曲，戍小山平，攻之易拔。用武之地，莫過於此，願陛下詳之。」帝不納，師竟無功。建德五年，大舉伐齊，卒用弼計。於是募三輔豪**俠**少年數百人以為別隊，從帝攻拔晉州。身被三瘡，苦戰不息，帝奇而壯之。後從帝平齊，以功拜上儀同，封武威縣公，邑千五百戶，賜物千五百段，奴婢百五十口，馬牛羊千餘頭，拜司州總管司錄。

二五〇〈段文振列傳〉（卷六〇）

長子詮，官至武牙郎將。次綸，少以**俠**氣聞。文振弟文操，大業中，為武賁郎將，性甚剛嚴。帝令督秘書省學士。時學士頗存儒雅，文操輒鞭撻之，前後或至千數，時議者鄙之。

二五一〈劉權列傳〉（卷六三）

劉權字世略，彭城豐人也。祖軌，齊羅州刺史。權少有俠氣，重然諾，藏亡匿死，吏不敢過門。後更折節好學，動循法度。初為州主簿，仕齊，釋褐奉朝請、行臺郎中。及齊滅，周武帝以為假淮州刺史。

二五二〈陳茂列傳〉（卷六四）

政字弘道，倜儻有文武大略，善鍾律，便弓馬。少養宮中，年十七，為太子千牛備身。時京師大俠劉居士重政才氣，數從之遊。圓通子孝常與政相善，並與居士交結。及居士下獄誅，政及孝常當從坐，上以功臣子，撻之二百而赦之。由是不得調。煬帝時，授協律郎，遷通事謁者，兵曹承務郎。帝美其才，甚重之。宇文化及之亂也，以為太常卿。後歸大唐，卒於梁州總管。

二五三〈沈光列傳〉（卷六四）

沈光字總持，吳興人也。父君道，仕陳吏部侍郎，陳滅，家于長安。皇太子勇引署學士。後為漢王諒府掾，諒敗，除名。光少驍捷，善戲馬，為天下之最。略綜書記，微有詞藻，常慕立功名，不拘小節。家甚貧窶，父兄並以傭書為事，光獨跅弛，交通輕俠，為京師惡少年之所朋附。人多贍遺，得以養親，每致甘食美服，未嘗困匱。初建禪定寺，其中幡竿高十餘丈，適遇繩絕，非人力所及，諸僧患之。光見而謂僧曰：「可持繩來，當相為上耳。」諸僧驚喜，因取而與之。光以口銜索，拍竿而上，直至龍頭。繫繩畢，手足皆放，透空而下，以掌拒地，倒行數十步。觀者駭悅，莫不嗟異，時人號為「肉飛仙」。

二五四〈周羅睺列傳〉（卷六五）

周羅睺字公布，九江潯陽人也。父法暠，仕梁冠軍將軍、始興太守、通直散騎常侍、南康內史，臨蒸縣侯。羅睺年十五，善騎射，好鷹狗，任俠放蕩，收聚亡命，陰習兵書。從祖景彥誡之曰：「吾世恭謹，汝獨放縱，難以保家。若不喪身，必將滅吾族。」羅睺終不改。

二五五〈楊玄感列傳〉（卷七〇）

餘杭劉元進，少好任俠，為州里所宗。兩手各長尺餘，臂垂過膝。

二五六〈李密列傳〉（卷七〇）

帝遣王世充率江、淮勁卒五萬來討密，密逆拒之，戰不利。柴孝和溺死於洛水，密甚傷之。世充營於洛西，與密相拒百餘日。武陽郡丞元寶藏、黎陽賊帥李文相、洹水賊帥張昇、清河賊帥趙君德、平原賊帥郝孝德並歸於密，共襲破黎陽倉據之。周法明舉江、黃之地以附密，齊郡賊帥徐圓朗、任城大**俠**徐師仁、淮陽太守趙他等前後附，以千百數。

二五七〈文學列傳〉（卷七六）

王頍字景文，齊州刺史頒之弟也。年數歲，值江陵陷，隨諸兄入關。少好遊**俠**，年二十，尚不知書。為其兄顒所責怒，於是感激，始讀孝經、論語，晝夜不倦。遂讀左傳、禮、易、詩、書，乃歎曰：「書無不可讀者！」勤學累載，遂遍通五經，究其旨趣，大為儒者所稱。解綴文，善談論。年二十二，周武帝引為露門學士。每有議決，多頍所為。而頍性識甄明，精力不倦，好讀諸子，偏記異書，當代稱為博物。又曉兵法，益有縱橫之志，每歎不逢時，常以將相自許。

二五八〈列女列傳〉（卷八〇）

劉昶女者，河南長孫氏之婦也。昶在周，尚公主，官至柱國、彭國公，數為將帥，位望隆顯。與高祖有舊。及受禪，甚親任，歷左武衛大將軍、慶州總管。其子居士，為太子千牛備身，聚徒任俠，不遵法度，數得罪。上以昶故，每輒原之。居士轉恣，每大言曰：「男兒要當辮頭反縛，籧篨上作獠儛。」取公卿子弟膂力雄健者，輒將至家，以車輪括其頸而棒之。殆死能不屈者，稱為壯士，釋而與交。黨與三百人，其趫捷者號為餓鶻隊，武力者號為蓬轉隊。每韝鷹紲犬，連騎道中，毆擊路人，多所侵奪。長安市里無貴賤，見之者皆辟易，至於公卿妃主，莫敢與校者。其女則居士之姊也，每垂泣誨之，殷勤懇惻。居士不改，至破家產。昶年老，奉養甚薄。其女時寡居，哀昶如此，每歸寧于家，躬勤紡績，以致其甘脆。

《舊唐書》

二五九〈太宗本紀〉（卷二）

時隋祚已終，太宗潛圖義舉，每折節下士，推財養客，群盜大**俠**，莫不願効死力。及義兵起，乃率兵略徇西河，尅之。拜右領大都督，右三軍皆隸焉，封燉煌郡公。

二六〇〈李密列傳〉（卷五三）

密將兵鋒甚銳，每入苑與隋軍連戰。會密為流矢所中，臥於營內，東都復出兵乘之，密眾大潰，弃迴洛倉，歸于洛口。煬帝遣王世充率勁卒五萬擊之，密與戰不利，孝和溺死於洛水，密哭之甚慟。世充營於洛西，與密相拒百餘日，大小六十餘戰。武陽郡丞元寶藏、黎陽賊帥李文栢、洹水賊帥張昇、清河賊帥趙君德、平原賊帥郝孝德，並歸於密，共襲破黎陽倉，據之。永安大族周法明舉江、黃之地以附密，齊郡賊帥徐圓朗、任城大**俠**徐師仁、淮陽太守趙佗皆歸之。

二六一〈劉武周列傳〉（卷五五）

劉武周，河間景城人。父匡，徙家馬邑。匡嘗與妻趙氏夜坐庭中，忽見一物，狀如雄雞，流光燭地，飛入趙氏懷，振衣無所見，因而有娠，遂生武周。驍勇善射，交通豪**俠**。其兄山伯每誡之曰：「汝不擇交遊，終當滅吾族也。」數詈辱之。武周因去家入洛，為太僕楊義臣帳內，募征遼東，以軍功授建節校尉。

二六二〈劉文靜列傳〉（卷五七）

公孫武達者，雍州櫟陽人也。少有膂力，稱為豪**俠**。在隋為驍果。武德初，至長春宮請謁太宗，從討劉武周，力戰，功居最。又從平王世充、竇建德，累遷秦王府右三軍驃騎，封清水縣公。貞觀初，檢校右監門將軍，尋除肅州刺史。歲餘，突厥數千騎、輜重萬餘入侵肅州，欲南入吐谷渾。武達領二千人與其精銳相遇，力戰，虜稍却，急攻之，遂大潰，擠之於張掖河。又命軍士於上流以栰渡兵，擊其餘眾，賊半濟，兩岸夾攻之，斬溺略盡。璽書慰勉之，拜左監門將軍。後又受詔擊鹽州叛突厥，武達引兵趨靈州，追及之。賊方渡河，見武達至，據河南岸。武達引兵擊之，斬其渠帥可邏拔扈，餘黨幾盡。進封東萊郡公。永徽中，累授右武衛大將軍。及卒，高宗廢朝舉哀，贈荊州都督，給東園祕器，陪葬昭陵，謚曰壯。

二六三〈劉弘基列傳〉（卷五八）

劉弘基，雍州池陽人也。父昇，隋河州刺史。弘基少落拓，交通輕**俠**，不事家產，以父蔭為右勳侍。大業末，嘗從煬帝征遼東，家貧不能自致，行至汾陰，度已後期當斬，計無所出，遂與同旅屠牛，潛諷吏捕之，繫於縣獄，歲餘，竟以贖論。

二六四〈柴紹列傳〉（卷五八）

柴紹字嗣昌，晉州臨汾人也。祖烈，周驃騎大將軍，歷遂、梁二州刺史，封冠軍縣公。父愼，隋太子右內率，封鉅鹿郡公。紹幼趫捷有勇力，任**俠**聞於關中。少補隋元德太子千牛備身。高祖微時，妻之以女，即平陽公主也。

二六五〈丘和列傳〉（卷五九）

丘和，河南洛陽人也。父壽，魏鎮東將軍。和少便弓馬，重氣任**俠**。及長，始折節，與物無忤，無貴賤皆愛之。周為開府儀同三司。入隋，累遷右武衛將軍，封平城郡公。漢王諒之反也，以和為蒲州刺史，諒使兵士服婦人服，戴羃羅，奄至城中，和脫身而免，由是除名。時宇文述方被任遇，和傾心附之，又以發武陵公元冑罪，拜代州刺史。屬煬帝北巡過代州，和獻食甚精，及至朔州，刺史楊廓獨無所獻，帝不悅，而宇文述又盛稱之，乃以和為博陵太守，仍令楊廓至博陵觀和為式。及駕至博陵，和上食又豐，帝益稱之。由是所幸處獻食者競為華侈。和在郡善撫吏士，甚得歡心，尋遷天水郡守。大業末，以海南僻遠，吏多侵漁，百姓咸怨，數為亂逆，於是選淳良太守以撫之。黃門侍郎裴矩奏言：「丘和歷居二郡，皆以惠政著聞，寬而不擾。」煬帝從之，追和為交趾太守。既至，撫諸豪傑，甚得蠻夷之心。

二六六〈宗室列傳〉（卷六〇）

淮安王神通，高祖從父弟也。父亮，隋海州刺史，武德初追封鄭王。神通，隋末在京師。義師起，隋人捕之，神通潛入鄠縣山南，與京師大俠史萬寶、河東裴勣柳崇禮等舉兵以應義師，遣使與司竹賊帥何潘仁連結。潘仁奉平陽公主而至，神通與之合勢，進下鄠縣，？踰一萬。自稱關中道行軍總管，以史萬寶為副，裴勣為長史，柳崇禮為司馬，令狐德棻為記室。高祖聞之大悅，授光祿大夫。從平京師，拜宗正卿。

二六七〈崔融列傳〉（卷九四）

時有司表稅關市，融深以為不可，上疏諫曰：

（略）

孟軻又云：「古之爲關也，將以禦暴；今之爲關也，將以爲暴。」今行者皆稅，本末同流。且如天下諸津，舟航所聚，旁通巴、漢，前指閩、越，七澤十藪，三江五湖，控引河洛，兼包淮海。弘舸巨艦，千軸萬艘，交貿往還，昧旦永日。今若江津河口，置鋪納稅，納稅則檢覆，檢覆則遲留。此津纔過，彼鋪復止，非唯國家稅錢，更遭主司僦賂。船有大小，載有少多，量物而稅，觸途淹久。統論一日之中，未過十分之一，因此壅滯，必致吁嗟。一朝失利，則萬商廢業，萬商廢業；則人不聊生。其間或有輕訬任俠之徒，斬龍刺蛟之黨，鄱陽暴虐之客，富平悍壯之夫，居則藏鏹，出便竦劍。加之以重稅，因之以威脅，一旦獸窮則搏，鳥窮則攫，執事者復何以安之哉？臣知其不可者四也。

（略）

疏奏，則天納之，乃寢其事。

二六八〈郭元振列傳〉（卷九七）

郭元振，魏州貴鄉人。舉進士，授通泉尉。任俠使氣，不以細務介意，前後掠賣所部千餘人，以遺賓客，百姓苦之。則天聞其名，召見與語，甚奇之。時吐蕃請和，乃授元振右武衛鎧曹，充使聘於吐蕃。吐蕃大將論欽陵請去四鎮兵，分十姓之地，朝廷使元振因察其事宜。元振還，上疏曰：

臣聞利或生害，害亦生利。國家難消息者，唯吐蕃與默啜耳。今吐蕃請和，默啜受命，是將大利於中國也。若圖之不審，則害必隨之。今欽陵欲分裂十姓，去四鎮兵，此誠動靜之機，不可輕舉措也。今若直塞其善意，恐邊患之起，必甚於前。若以鎮不可拔，兵不可抽，則宜爲計以緩之，藉事以誘之，使彼和望未絕，則其惡意亦不得頓生。且四鎮之患遠，甘、涼之患近，取捨之計，實宜深圖。今國之外患者，十姓、四鎮是也；內患者，甘、涼、瓜、肅是也。關、隴之人，久事屯戍，向三十年，力用竭矣。脫甘、涼有不虞，豈堪廣調發耶？夫善爲國者，當先料内以敵外，不貪外以害內，然後夷夏晏安，昇平可保。如欽陵云「四鎮諸部接界，懼漢侵竊，故有是請」，此則吐蕃所要者。然青海、吐渾密邇蘭、鄯，比爲漢患，實在茲輩，斯亦國家之要者。今宜報欽陵云：「國家非恡四鎮，本置此以扼蕃國之要，分蕃國之力，使不得併兵東侵。今委之於蕃，力強易爲東擾。必實無東侵意，則還漢吐渾諸部及青海故地，即俟斤部落亦還吐蕃。」如此，則足塞欽陵之口，而事未全絕也。如欽陵小有乖，則曲在彼矣。又西邊諸國，款附歲久，論其情義，豈可與吐蕃同日而言。今未知其利害，未審其情實，遙有分裂，亦恐傷彼諸國之意，非制馭之長算也。

則天從之。

二六九〈哥舒翰列傳〉（卷一〇四）

哥舒翰，突騎施首領哥舒部落之裔也。蕃人多以部落稱姓，因以為氏。祖沮，左清道率。父道元，安西副都護，世居安西。翰家富於財，倜儻任俠，好然諾，縱蒱酒。年四十，遭父喪，三年客居京師，為長安尉不禮，慨然發憤折節，仗劍之河西。初事節度使王倕，倕攻新城，使翰經略，三軍無不震慴。後節度使王忠嗣補為衙將。翰好讀左氏春秋傳及漢書，疎財重氣，士多歸之。忠嗣以為大斗軍副使，嘗使翰討吐蕃于新城，有同列為副者，見翰禮倨，不為用，翰怒，撾殺之，軍中股慄。遷左衛郎將。後吐蕃寇邊，翰拒之于苦拔海，其眾三行，從山差池而下，翰持半段槍當其鋒擊之，三行皆敗，無不摧靡，由是知名。

二七〇〈郭子儀列傳〉（卷一二〇）

俄而梁崇義據襄陽叛，僕固懷恩阻兵於汾州，引迴紇、吐蕃之眾入寇河西。明年十月，吐蕃陷涇州，虜刺史高暉，暉遂與蕃軍為鄉導，引賊深入京畿，掠奉天、武功，濟渭而南，緣山而東。渭北行營兵馬使呂日將逆戰于盩厔，自辰至酉，殺蕃軍數千，然其徒多殞。賊將逼京師，君上計無所出，遽詔子儀為關內副元帥，出鎮咸陽。子儀自相州不利，李光弼代掌兵柄，及徵還朝廷，部曲散去。及是承詔，部下唯二十騎，強取民家畜產以助軍。至咸陽，蕃軍已過渭水。其日，天子避狄幸陝州。子儀聞上避狄，雪涕還京，至則車駕已發。射生將王獻忠從駕，沿路遂以四百騎叛，仍逼豐王已下十王欲投於賊。子儀入開遠門，遇之，詰豐王等所向，遂護送行在。子儀以三千騎傍南山，至商州，得武關防兵及六軍散卒四千人，招輯亡逸，其軍漸振。蕃寇犯京城，得故邠王守禮孫廣武王承宏，立帝號，假署百官。子儀遣六軍兵馬使張知節、烏崇福、羽林軍使長孫全緒等將兵萬人為前鋒，營於韓公堆，盛張旗幟，鼓鞞震山谷。全緒遣禁軍舊將王甫入長安，陰結少年豪**俠**以為內應，一日，齊擊鼓於朱雀街，蕃軍惶駭而去。大將李忠義先屯兵苑中，渭北節度使王仲升守朝堂。子儀以大軍續進，至滻西。射生將王撫自署為京兆尹，聚兵二千人，擾亂京城，子儀召撫殺之。詔子儀權京城留守。

二七一〈張建封列傳〉（卷一四〇）

張建封字本立，兗州人。祖仁範，洪州南昌縣令，貞元初贈鄭州刺史。父玠，少豪**俠**，輕財重士。安祿山反，令偽將李庭偉率蕃兵脅下城邑，至魯郡，太守韓擇木具禮郊迎，置於郵館，玠率鄉豪張貴、孫邑、段絳等集兵將殺之。擇木怯懦，大懼；唯員外司兵張孚然其計，遂殺庭偉并其黨數十人，擇木方遣使奏聞。擇木、張孚俱受官賞，玠因遊蕩江南，不言其功。以建封貴，贈秘書監。

二七二〈田承嗣列傳〉（卷一四一）

田承嗣，平州人，世事盧龍軍為裨校。祖璟、父守義，以豪俠聞於遼、碣。承嗣，開元末為軍使安祿山前鋒兵馬使，累俘斬奚、契丹功，補左清道府率，遷武衛將軍。祿山構逆，承嗣與張忠志等為前鋒，陷河洛。祿山敗，史朝義再陷洛陽，承嗣為前導，偽授魏州刺史。代宗遣朔方節度使僕固懷恩引迴紇軍討平河朔。帝以二兇繼亂，郡邑傷殘，務在禁暴戢兵，屢行赦宥，凡為安、史詿誤者，一切不問。時懷恩陰圖不軌，慮賊平寵衰，欲留賊將為援，乃奏承嗣及李懷仙、張忠志、薛嵩等四人分帥河北諸郡，乃以承嗣檢校戶部尚書、鄭州刺史。俄遷魏州刺史、貝博滄瀛等州防禦使。居無何，授魏博節度使。

二七三〈于頔列傳〉（卷一五六）

長慶中，以戚里勳家諸貴引用，于方復至和王傅，家富於財，方交結遊俠，務於速進。元稹作相，欲以其策平河朔群盜，方以策畫干稹。而李逢吉之黨欲傾裴度，乃令人告稹欲結客刺度。事下法司，按鞫無狀，而方竟坐誅。

二七四〈王智興列傳〉（卷一五六）

史臣曰：于燕公（頔）以儒家子，逢時擾攘，不持士範，非義非**俠**，健者不為，末塗淪躓，固其宜矣。韓、王二帥，乘險蹈利，犯上無君，豺狼噬人，鵂鶹幸夜，爵祿過當，其可已乎？謂之功臣，恐多慚色。

二七五〈李逢吉列傳〉（卷一六七）

昭愍即位，左右屢言裴度之賢，曾立大勳，帝甚嘉之。因中使往興元，即令問訊。寶曆初，度連上章請入覲。逢吉之黨坐不安席，如矢攢身，乃相與為謀，欲沮其來。張權輿撰「非衣小兒」之謠，傳於閭巷。言度相有天分，應謠讖，而韋處厚於上前解析，言權輿所撰之言。既不能沮，又令衛尉卿劉遵古從人安再榮告武昭謀害逢吉。武昭者，有才力，裴度破淮、蔡時獎用之，累奏為刺史。及度被斥，昭以門吏久不見用，客于京師，途窮頗有怨言。逢吉冀法司鞫昭行止，則顯裴度任用，以沮入朝之行。逢吉又與同列李程不協。太學博士李涉、金吾兵曹茅彙者，於京師貴遊間以氣**俠**相許，二人出入程及逢吉之門。水部郎中李仍叔，程之族，知武昭鬱鬱恨不得官，仍叔謂昭曰：「程欲與公官，但逢吉阻之。」昭愈憤怒，因酒與京師人劉審、張少騰說刺逢吉之言。審以昭言告張權輿，乃聞於逢吉，即令茅彙召昭相見，逢吉厚相結託，自是疑怨之言稍息。逢吉待茅彙尤厚，嘗與彙書云：「足下當字僕為『自求』，僕當字足下為『利見』。」文字往來，其間甚密。及裴度求覲，無計沮之，即令訐武昭事，以暴揚其迹。再榮既告，李仲言誡彙曰：「言武昭與李程同謀則活，否則爾死。」彙曰：「寃死甘心。誣人以自免，予不為也。」及昭下獄，逢吉之醜迹皆彰。昭死，仲言流象州，茅彙流嶲州，李涉流康州，李虞自拾遺為河南士曹。敬宗待裴度益厚，乃自漢中召還，復知政事。

二七六〈李訓列傳〉（卷一六九）

訓雖為鄭注引用，及祿位俱大，勢不兩立，託以中外應赴之謀，出注為鳳翔節度使。俟誅內豎，即兼圖注。約以其年十一月誅中官，須假兵力，乃以大理卿郭行餘為邠寧節度使，戶部尚書王璠為太原節度使，京兆少尹羅立言權知大尹事，太府卿韓約為金吾街使，刑部郎中知雜李孝本權知中丞事，皆訓之親厚者。冀王璠、郭行餘未赴鎮間，廣令召募豪**俠**及金吾臺府之從者，俾集其事。

二七七〈王璠列傳〉（卷一六九）

八年，李訓得幸，累薦于上。召還，復拜右丞。璠以逢吉故吏，自是傾心於訓，權倖傾朝。九年五月，遷戶部尚書、判度支。謝日，召對浴堂，錫之錦綵。其年十一月，李訓將誅內官，令璠召募豪**俠**，乃授太原節度使，託以募爪牙為名。訓敗之日，璠歸長興里第，是夜為禁軍所捕，舉家下獄，斬璠於獨柳樹，家無少長皆死。

二七八〈良吏列傳〉（卷一八五）

（李）君球少任俠，頗涉書籍。貞觀中，齊州都督齊王擄州城舉兵作亂，君球與兄子行均守縣城。事平，太宗聞而嘉之，擢授遊擊將軍，仍改其本縣為全節縣。君球累補左驍衛、義全府折衝都尉。

《新唐書》

二七九〈宗室列傳〉（卷七八）

淮安靖王（李）神通，少輕**俠**。隋大業末在長安。會高祖兵興，吏逮捕，亡命入鄠南山，與豪英史萬寶、裴勣、柳崇禮等舉兵應太原，約司竹賊帥何潘仁連和，進與平陽公主兵合，徇鄠下之。自署關中道行軍總管，以萬寶為副，勣為長史，崇禮為司馬，令狐德棻為記室。從平京師，為宗正卿，典兵宿衛。王永康郡，俄徙淮安。

二八〇〈高祖諸子列傳〉（卷七九）

隱太子建成小字毗沙門。資簡弛，不治常檢，荒色嗜酒，畋獵無度，所從皆博徒大**俠**。

二八一〈李密列傳〉（卷八四）

A

密羸行入關，為邏所獲，與支黨護送帝所。密謂眾曰：「吾等至行在，且葅醢，今尚可以計脫，何為安就鼎鑊？」眾然之。乃令出所有金示監使曰：「即死，幸報德。」使者顧金，禁漸弛，益市酒，飲笑讙譁，守者懈，密等遂夜亡去。抵平原，賊郝孝德不見禮，去之淮陽。歲飢，削木皮以食。變姓名為劉智遠，教授諸生自給，鬱鬱不得志，哀吟泣下。人有告太守趙佗者，佗捕之，遁免。往依娟婿雍丘令丘君明，轉匿大**俠**王季才家，為吏迹捕，復亡去。

B

四月，隋虎牢將裴仁基、淮陽太守趙佗降，長白山賊孟讓以所部歸密。以仁基為上柱國，與讓率兵二萬襲回洛倉，守之。入都城掠居人，火天津橋。隋出軍乘之，仁基等敗，還保鞏。司馬楊德方戰死。密自督眾三萬，破隋軍於故城，復得回洛倉。俄而德韜死，乃以鄭頲為左司馬，鄭虔象右司馬。諸賊帥黎陽李文相、洹水張昇、清河趙君德、平原郝孝德皆歸密，因襲取黎陽倉。永安大族周法明舉江、黃地附之，齊郡賊徐圓朗、任城大**俠**徐師仁來歸。密令幕府移檄州縣，列煬帝十罪，天下震動。

二八二〈竇建德列傳〉（卷八五）

竇建德，貝州漳南人。世為農，自言漢景帝太后父安成侯充之苗裔。材力絕人，少重然許，喜**俠**節。鄉人喪親，貧無以葬，建德方耕，聞之太息，遽解牛與給喪事，鄉黨異之。盜夜劫其家，建德立戶下，盜入，擊三人死，餘不敢進。請其尸，建德曰：「可投繩繫取之。」盜投繩，建德乃自縻，使盜曳出，躍起捉刀，復殺數人，繇是益知名。為里長，犯法亡，會赦歸。久之，父卒，里中送葬千餘人，所贈予皆讓不受

二八三〈裴寂列傳〉（卷八八）

公孫武達，京兆櫟陽人。以豪**俠**稱，為隋驍果。兵興，武達至長春宮上謁。從秦王討劉武周，苦戰功多，累遷秦府右三軍驃騎，封清水縣公。

二八四〈唐儉列傳〉（卷八九）

（唐）憲字茂彝，仕隋為東宮左勳衛。太子廢，罷歸。不治細行，好馳獵，藏亡命，所交皆博徒輕**俠**。高祖領太原，頗親遇之，參與大議。義師起，授正議大夫，置左右，尤所信倚。封安富縣公。武德中，進累雲麾將軍，加郡公。貞觀中，終金紫光祿大夫。

二八五〈柴紹列傳〉（卷九）

柴紹字嗣昌，晉州臨汾人。幼趫悍，有武力，以任俠聞。補隋太子千牛備身。高祖妻以平陽公主。將起兵，紹走間道迎謁。時太子建成、齊王元吉亦自河東往，遇諸塗建成曰：「追書急，恐吏逮捕，請依劇賊，冀自全。」紹曰：「不可。賊知君唐公子，必執以為功，徒死爾。不如疾走太原。」既入雀鼠谷，聞義兵起，謂紹有謀，乃相賀。授右領軍大都督府長史，領彀騎，發晉陽。先抵霍邑城下，覘形勢。還白：「宋老生一夫敵，我兵到必出戰，可虜也。」大師至，老生果出，紹力戰有功。從下臨汾、絳郡，隋將桑顯和來戰，紹引軍繚其背，與史大奈合攻之。顯和敗，遂平京師。進右光祿大夫，封臨汾郡公。高祖即位，拜左翊衛大將軍，累從征討，以多，進封霍國公，遷右驍衛大將軍。

吐谷渾、黨項寇邊，敕紹討之，虜據高射紹軍，雨矢，士失色。紹安坐，遣人彈胡琵琶，使一女子舞。虜疑之，休射觀。紹伺其懈，以精騎從後掩擊，虜大潰，斬首五百級。

二八六〈丘和列傳〉（卷九）

丘和，河南洛陽人，後徙家郿。少重氣俠，閑弓馬，長乃折節自將。仕周開府儀同三司。入隋為右武衛將軍，封平城郡公，歷資、梁、蒲三州刺史，以寬惠著名。漢王諒反，使卒衣婦人衣，襲取蒲州，和挺身免，坐廢為民。宇文述有寵，和傾心附納。俄以發武陵公元冑罪，復拜代州刺史。煬帝北巡，和饋獻精腆，至朔州，而刺史楊廓無所進，帝不悅。述盛稱和美，帝用為博陵太守，詔廓就視和為式。後帝過博陵，和上食加豐，愈喜。由是所過競為珍侈獻，自和發也。然和善撫吏士，得其心。遷天水郡守，入為左禦衛將軍。大業末，海南苦吏侵，數怨畔。帝以和所蒞稱淳良，而黃門侍郎裴矩亦薦之，遂拜交阯太守，撫接盡情，荒憬安之。

二八七〈薛萬均列傳〉（卷九四）

A

盛彥師者，宋州虞城人。少任俠。隋大業末，為澄城長。高祖兵至汾陰，彥師率賓客上謁，授行軍總管，從平京師，與史萬寶鎮宜陽。李密叛，謀出山南，萬寶懼，謂彥師曰：「密，驍賊也，以王伯當輔之，挾思東歸之士，非計出萬全不為也，殆不可當。」彥師笑曰：「請以數千兵為公梟其首。」萬寶問計，答曰：「兵詭道也，難豫言。」即引眾踰洛水，入熊耳山，命士持滿夾道，伏短兵溪谷間，令曰：「賊半度乃擊。」所部皆笑曰：「賊趨洛州，何為備此？」彥師曰：「密聲言入洛，其實走襄城就張善相，我據其要，必擒之。」密果至，彥師橫擊，首尾不相救，遂斬密及伯當。以功封葛國公，授武衛將軍，鎮熊州。

B

盧祖尚字季良，光州樂安人。家饒財，好施，以俠聞。隋大業末，募壯士捕盜，時年十九，善御眾，所向有功，盜畏，不入境。宇文化及之亂，據州稱刺史，歃血誓眾，士皆感泣。越王侗立，遣使歸地，因署本州總管，封沈國公。

二八八〈諸夷蕃將列傳〉（卷一一一）

（馮）盎族人子猷，以豪俠聞。貞觀中，入朝，載金一舸自隨。高宗時，遣御史許瓘視其貲。瓘至洞，子猷不出迎，後率子弟數十人，擊銅鼓、蒙排，執瓘而奏其罪。帝馳遣御史楊璟驗訊。璟至，卑辭以結之，委罪於瓘。子猷喜，遺金二百兩、銀五百兩。璟不受。子猷曰：「君不取此，且留不得歸。」璟受之，還奏其狀，帝命納焉。

二八九〈郭震列傳〉（卷一二二）

郭震字元振，魏州貴鄉人，以字顯。長七尺，美須髯，少有大志。十六，與薛稷、趙彥昭同為太學生，家嘗送資錢四十萬，會有縗服者叩門，自言「五世未葬，願假以治喪。」元振舉之，無少吝，一不質名氏。稷等嘆駭。

十八舉進士，為通泉尉。任俠使氣，撥去小節，嘗盜鑄及掠賣部中口千餘，以餉遺賓客，百姓厭苦。武后知所為，召欲詰，既與語，奇之，索所為文章，上寶劍篇，后覽嘉歎，詔示學士李嶠等，即授右武衛鎧曹參軍，進奉宸監丞。

二九〇〈哥舒翰列傳〉（卷一三五）

哥舒翰，其先蓋突騎施酋長哥舒部之裔。父道元，為安西都護將軍、赤水軍使，故仍世居安西。翰少補效轂府果毅，家富于財，任俠重然諾，縱蒱酒長安市。年四十餘，遭父喪，不歸。不為長安尉所禮，慨然發憤，游河西，事節度使王倕。倕攻新城，使翰經略，稍知名。又事王忠嗣，署衙將。翰能讀左氏春秋、漢書，通大義。疏財，多施予，故士歸心。為大斗軍副使，佐安思順，不相下。忠嗣更使討吐蕃，副將倨見，翰怒，立殺之，麾下為股忭。遷左衛郎將。

二九一〈郭子儀列傳〉（卷一三七）

時史朝義尚盜洛，帝欲使副雍王，率師東討，為朝恩、元振交訾之，乃止。會梁崇義據襄州叛，僕固懷恩屯汾州，陰召回紇、吐蕃寇河西，殘涇州，犯奉天、武功，遽拜子儀為關內副元帥，鎮咸陽。初，子儀自相州罷歸京師，部曲離散，逮承詔，麾下才數十騎，驅民馬補行隊。至咸陽，虜已過渭水，並南山而東，天子跳幸陝。子儀聞，流涕，董行營還京師。遇射生將王獻忠以轂騎叛，劫諸王欲奔虜，子儀讓之，取諸王送行在。乃率騎南收兵，得武關防卒及亡士數千，軍寖完。會六軍將張知節迎子儀洛南，大閱兵，屯商州，威震關中。乃遣知節率烏崇福、羽林將長孫全緒為前鋒，營韓公堆，擊鼓譙山，張旗幟，夜叢萬炬，以疑賊。初，光祿卿殷仲卿募兵藍田，以勁騎先官軍為游弈，直度滻，民紿虜曰：「郭令公來。」虜懼。會故將軍王甫結俠少，夜鼓朱雀街，呼曰：「王師至！」吐蕃夜潰。於是遣大將李忠義屯苑中，渭北節度使王仲昇守朝堂，子儀以中軍繼之。射生將王撫自署京兆尹，亂京城，子儀斬以狥。破賊書聞，帝以子儀為京城留守。

二九二〈段顏列傳〉（卷一五三）

劉海賓者，彭城人，以義俠聞。為涇原兵馬將，與秀實友善。累戰功，兼御史中丞。劉文喜據涇州叛，海賓與其子光國紿以奏請。及入對，因言姦慝可誅狀。既還，光國手斬文喜獻闕下，拜左驍衛大將軍，封五原郡王；海賓樂平郡王，贈太子太保，實封百戶。

二九三〈張建封列傳〉（卷一五八）

張建封字本立，鄧州南陽人，客隱兗州。父玠，少任俠。安祿山反，使李廷偉脅徇山東，魯郡太守韓擇木迎館之。玠率豪傑段絳等集兵，將斬以徇，擇木不許，唯司兵參軍張孚助其謀，乃殺廷偉并其黨以聞。擇木、孚皆受賞，而玠去之江南，不自言功。

二九四〈胡証列傳〉（卷一六四）

証膂力絕人。晉公裴度未顯時，羸服私飲，為武士所窘，証聞，突入坐客上，引觥三釂，客皆失色。因取鐵燈檠，摘枝葉，摎合其跗，橫膝上，謂客曰：「我欲為酒令，飲不釂者，以此擊之。」眾唯唯。証一飲輒數升，次授客，客流離盤杓不能盡，証欲擊之，諸惡少叩頭請去，証悉驅出。故時人稱其俠。

二九五〈于頔列傳〉（卷一七二）

（于）方，長慶時以勳家子通豪俠，欲事河朔，以策干宰相元稹。而李逢吉黨謀傾執政，乃告稹結客刺裴度，事下有司，驗無狀，方坐誅。

二九六〈李逢吉列傳〉（卷一七四）

敬宗新立，（裴）度求入覲，逢吉不自安，張權輿為作讖言以沮度，而韋處厚亟為帝言之，計卒不行。有武昭者，陳留人，果敢而辯。度之討蔡，遣說吳元濟，元濟臨以兵辭不撓，厚禮遣還，度署以軍職，從鎮太原，除石州刺史。罷歸不得用，怨望，與太學博士李涉、金吾兵曹參軍茅彙居長安中，以氣俠相許。逢吉與李程同執政，不叶。程族人仍叔謂昭曰：「丞相欲用君，顧逢吉持不可。」昭愈憤，酒所，語其友劉審，欲刺逢吉。審竊語權輿，逢吉因彙召見昭，厚相結納，忿隙得解。逢吉素厚待彙，嘗與書曰：「足下當以『自求』字僕，吾當以『利見』字君。」辭頗猥昵。及度將還，復命人發昭事。由是昭、彙皆下獄，命御史中丞王播按之。訓諷彙使誣昭與李程同謀，不然且死。彙不可，曰：「誣人以自免，不為也！」獄成，昭榜死，彙流崖州，涉康州，仍叔貶道州司馬，訓流象州。擢審長壽主簿。而逢吉謀益露。昭死，人皆寃之。

二九七〈韓愈列傳〉（卷一七六）

劉乂者，亦一節士。少放肆為俠行，因酒殺人亡命。會赦，出，更折節讀書，能為歌詩。然恃故時所負，不能俛仰貴人，常穿屐、破衣。聞愈接天下士，步歸之，作冰柱、雪車二詩，出盧仝、孟郊右。樊宗師見，為獨拜。能面道人短長，其服義則又彌縫若親屬然。後以爭語不能下賓客，因持愈金數斤去，曰：「此諛墓中人得耳，不若與劉君為壽。」愈不能止，歸齊、魯，不知所終。

二九八〈卓行列傳〉（卷一九四）

甄濟字孟成，定州無極人。叔父為幽、涼二州都督，家衛州，宗屬以伉俠相矜。濟少孤，獨好學，以文雅稱。居青巖山十餘年，遠近伏其仁，環山不敢畋漁。採訪使苗晉卿表之，諸府五辟，詔十至，堅臥不起。

二九九〈循吏列傳〉（卷一九七）

會昌中，德裕當國，復拜京兆尹。都市多**俠**少年，以黛墨鑱膚，夸詭力，剽斂坊閭。元賞到府三日，收惡少，杖死三十餘輩，陳諸市，餘黨懼，爭以火滅其文。元賞長吏事，能推言時弊，件白之。禁屯怙勢擾府縣，元賞數與爭，不少縱，由是軍暴折戢，百姓賴安。就加檢校吏部尚書。閱歲，進工部尚書，領諸道鹽鐵轉運使。德裕用元賞弟元龜為京兆少尹，知府事。宣宗立，罷德裕，而元龜坐貶崖州司戶參軍，元賞下除袁王傅。久之，復拜昭義節度使，卒。

三〇〇〈文藝列傳〉（卷二〇二）

A

王翰字子羽，并州晉陽人。少豪健恃才，及進士第，然喜蒱酒。張嘉貞為本州長史，偉其人，厚遇之。翰自歌以舞屬嘉貞，神氣軒舉自如。張説至，禮益加。復舉直言極諫，調昌樂尉，又舉超拔群類，方説輔政，故召為祕書正字，擢通事舍人、駕部員外郎。家畜聲伎，目使頤令，自視王侯，人莫不惡之。説罷宰相，翰出為汝州長史，徙仙州別駕。日與才士豪**俠**飲樂游畋，伐鼓窮歡，坐貶道州司馬，卒。

B

李白字太白，興聖皇帝九世孫。其先隋末以罪徙西域，神龍初，遁還，客巴西。白之生，母夢長庚星，因以命之。十歲通詩書，既長，隱岷山。州舉有道，不應。蘇頲為益州長史，見白異之，曰：「是子天才奇特，少益以學，可比相如。」然喜縱橫術，擊劍，為任俠，輕財重施。更客任城，與孔巢父、韓準、裴政、張叔明、陶沔居徂徠山，日沈飲，號「竹溪六逸」。

三〇一〈列女列傳〉（卷二〇五）

段居貞妻謝，字小娥，洪州豫章人。居貞本歷陽俠少年，重氣決，娶歲餘，與謝父同賈江湖上，並為盜所殺。小娥赴江流，傷腦折足，人救以免。轉側丐食至上元，夢父及夫告所殺主名，離析其文為十二言，持問內外姻，莫能曉。隴西李公佐隱占得其意，曰：「殺若父者必申蘭，若夫必申春，試以是求之。」小娥泣謝。諸申，乃名盜亡命者也。小娥詭服為男子，與傭保雜。物色歲餘，得蘭于江州，春于獨樹浦。蘭與春，從兄弟也。小娥託傭蘭家，日以謹信自效，蘭寖倚之，雖包苴無不委。小娥見所盜段、謝服用故在，益知所夢不疑。出入二期，伺其便。它日蘭盡集群偷釃酒，蘭與春醉，臥廬。小娥閉戶，拔佩刀斬蘭首，因大呼捕賊。鄉人牆救，禽春，得贓千萬，其黨數十。小娥悉疏其人上之官，皆抵死，乃始自言狀。刺史張錫嘉其烈，白觀察使，使不為請。還豫章，人爭娉之，不許。祝髮事浮屠道，垢衣糲飯終身。

三〇二〈宦者列傳〉（卷二〇八）

自輔國徙太上皇，天下疾之，帝在東宮積不平。既嗣位，不欲顯戮，遣俠者夜刺殺之，年五十九，抵其首溷中，殊右臂，告泰陵。然猶祕其事，刻木代首以葬，贈太傅，謚曰醜。後梓州刺史杜濟以武人為牙門將，自言刺輔國者。

三〇三〈藩鎮魏博列傳〉（卷二一〇）

田承嗣字承嗣，平州盧龍人。世事盧龍軍，以豪俠聞。隸安祿山麾下，破奚、契丹，累功至武衛將軍。祿山反，與張忠志為賊前驅，陷河、洛。嘗大雪，祿山按行諸屯，至其營，若無人，已而擐甲列卒，閱所籍，不缺一人，祿山異其能，使守潁川。

三〇四〈藩鎮宣武彰義澤潞列傳〉（卷二一四）

甄戈者，頗任俠，從諫厚給卹，坐上座，自稱荊卿。從諫與定州戍將有嫌，命戈取之，因為逆旅上謁，留飲三日，乘間斬其首。它日，又使取仇人，乃引不逞者十餘輩劫之。從諫不悅，號「偽荊卿」。

三〇五〈姦臣列傳〉（卷二二三）

（朱）友恭者，本李彥威也。壽州人，客汴州。殖財任**俠**，全忠愛而子畜之，領長劍都，積功，表為檢校尚書左僕射。乾寧中，授汝州刺史，檢校司空。楊行密侵鄂州，友恭將兵萬餘援杜洪，至江州，還攻黃州，入之，獲行密將，俘斬萬計。又襲安州，殺守將。遷潁州刺史、感化軍節度留後。帝東遷，為左龍武統軍，貶崖州司戶參軍。臨刑曰：「溫殺我，當亦滅族！」又語張廷範曰：「公行及此」云。

《舊五代史·梁書》

三〇六〈成汭列傳〉（卷一七）

成汭，淮西人。少年任俠，乘醉殺人，為讎家所捕，因落髮為僧，冒姓郭氏，亡匿久之，及貴，方復本姓。唐僖宗朝，為蔡州軍校，領本郡兵戍荊南，帥以其凶暴，欲害之，遂棄本軍奔於秭歸。一夕，巨蛇繞其身，幾至于殞，乃祝曰：「苟有所負，死生惟命。」逡巡，蛇亦解去。後據歸州，招集流亡，練士伍，得兵千餘人，沿流以襲荊南，遂據其地，朝廷即以旄鉞授之。

是時荊州經巨盜之後，居民才一十七家，汭撫輯凋殘，勵精為理，通商訓農，勤於惠養，比及末年，僅及萬戶。汭性豪暴，事皆意斷，又好自矜伐，騁辯凌人，深為識者所鄙。

《舊五代史·唐書》

三〇七〈武皇紀〉（卷二五）

獻祖之討龐勛也，武皇（李克用）年十五，從征，摧鋒陷陣，出諸將之右，軍中目為「飛虎子」。賊平，獻祖授振武節度使，武皇為雲中牙將。嘗在雲中，宿于別館，擁妓醉寢，有俠兒持刃欲害武皇，及突入曲室，但見烈火熾赫于帳中，俠兒駭異而退。又嘗與達靼部人角勝，達靼指雙鵰于空曰：「公能一發中否？」武皇即彎弧發矢，連貫雙鵰，邊人拜伏。及壯，為雲中守捉使，事防禦使支謨，與同列晨集廨舍，因戲升郡閣，踞謨之座，謨亦不敢詰。

三〇八〈符存審列傳〉（卷五六）

符存審，字德詳，陳州宛邱人，舊名存。父楚，本州牙將。存審少豪俠，多智算，言兵家事。乾符末，河南盜起，存審鳩率豪右，庇捍州里。會郡人李罕之起自群盜，授光州刺史，因往依之。中和末，罕之為蔡寇所逼，棄郡投諸葛爽，存審從至河陽，為小校，屢戰蔡賊有功。

諸葛爽卒，罕之為其部將所逼，出保懷州，部下分散，存審乃歸於武皇。武皇署右職，令典義兒軍，賜姓名。

《舊五代史·晉書》

三〇九〈李周列傳〉（卷九一）

李周，字通理，邢州內邱人也，唐潞州節度使抱真之後。曾祖融、祖毅、父矩，皆不仕。周年十六，為內邱捕賊將，以任俠自負。時河朔群盜充斥，南北交兵，行旅無援者不敢出郡邑。有士人盧岳，家于太原，攜妻子囊橐寓于逆旅，進退無所保，唯與所親相對流涕，周憫之，請援送以歸。行經西山中，有賊夜於林麓間俟之，射盧岳，中其馬。周大呼曰：「爾為誰耶？」賊聞其聲，相謂曰：「李君至此矣。」即時散走。岳全其行裝，至于家。周將辭去，岳謂周曰：「岳明歷象，善知人。子有奇表，方頤隆準，眉目疏朗，身長七尺，此乃將相之材也。河東李氏將有天下，子宜事之，以求富貴。」周辭以母老而歸。

《舊五代史·漢書》

三一〇〈史宏肇列傳〉（卷一〇七）

史宏肇，字化元，鄭州滎澤人也。父潘，本田家。宏肇少游俠無行，拳勇健步，日行二百里，走及奔馬。梁末，每七戶出一兵，宏肇在籍中，後隸本州開道都，選入禁軍。嘗在晉祖麾下，遂留為親從，及踐阼，用為控鶴小校。高祖鎮太原，奏請從行，升為牙校，後置武節左右指揮，以宏肇為都將，遙領雷州刺史。高祖建號之初，代州王暉叛，以城歸契丹，宏肇征之，一鼓而拔，尋授許州節度使，充侍衛步軍都指揮使。會王守恩以上黨求附，契丹主命大將耿崇美率眾登太行，欲取上黨，高祖命宏肇以軍應援。軍至潞州，契丹退去，翟令奇以澤州迎降。會河陽武行德遣人迎宏肇，遂率眾南下，與行德合。故高祖由蒲、陝赴洛如歸，宏肇前鋒之功也。

《舊五代史·周書》

三一一〈后妃列傳〉（卷一二一）

太祖（郭威）聖穆皇后柴氏，邢州龍崗人，世家豪右。太祖微時，在洛陽聞后賢淑，遂聘之。太祖壯年，喜飲博，好任俠，不拘細行，后規其太過，每有內助之力焉。世宗皇帝即后之姪也，幼而謹愿，后甚憐之，故太祖養之為己子。太祖嘗寢，后見五色小蛇入顴鼻間，心異之，知其必貴，敬奉愈厚。未及貴而厭代。

三一二〈世襲列傳〉（卷一三三）

錢鏐，杭州臨安縣人。少拳勇，喜任俠，以解仇報怨為事。唐乾符中，事於潛鎮將董昌為部校。屬天下喪亂，黃巢寇嶺表，江、淮之盜賊群聚，大者攻州郡，小者剽閭里，董昌聚眾，恣橫于杭、越之間，杭州八縣，每縣召募千人為一都，時謂之「杭州八都」，以遏黃巢之衝要。時有劉漢宏者，聚徒據越州，自稱節度使，攻收鄰郡；潤州牙將薛朗逐其節度使周寶，自稱留後。唐僖宗在蜀，詔董昌討伐，昌以軍政委鏐，率八都之士進攻越州，誅漢宏；回戈攻潤州，擒薛朗。江、浙平，董昌為浙東節度使、越州刺史，表鏐代己為杭州刺史。

《新五代史》

三一三〈周家人傳〉（卷一九）

太祖一后三妃。聖穆皇后柴氏，邢州堯山人也，與太祖同里，遂以歸焉。太祖微時，喜飲博任**俠**，不拘細行，后常諫止之。太祖狀貌奇偉，后心知其貴人也，事之甚謹。

三一四〈楚世家〉（卷六六）

荊南高季昌以兵斷漢口，邀殷貢使，殷遣許德勳攻其沙頭，季昌求和，乃止。楊行密袁州刺史呂師周來奔。師周，勇健豪**俠**，頗通緯候、兵書，自言五世將家，懼不能免，常與酒徒聚飲，醉則起舞，悲歌慷慨泣下。行密聞之，疑其有異志，使人察其動靜。師周益懼，謂其裨將綦毋章曰：「吾與楚人為敵境，吾常望其營上雲氣甚佳，未易敗也。吾聞馬公仁者，待士有禮，吾欲逃死於楚可乎？」章曰：「公自圖之，章舌可斷，語不泄也。」師周以兵獵境上，乃奔於楚，綦毋章縱其家屬隨之。殷聞師周至，大喜曰：「吾方南圖嶺表，而得此人足矣。」以為馬步軍都指揮使，率兵攻嶺南，取昭、賀、梧、蒙、龔、富等州。殷表師周昭州刺史。

《宋　史》

三一五〈地理志〉（卷八七）

陝西路蓋禹貢雍、梁、冀、豫四州之域，而雍州全得焉。當東井、輿鬼之分，西接羌戎，東界潼、陝，南抵蜀、漢，北際朔方。有銅、鹽、金鐵所產，絲、枲、林木之饒，其民慕農桑，好稼穡。鄠、杜、南山，土地膏沃，二渠灌溉，兼有其利。大抵夸尚氣勢，多游**俠**輕薄之風，甚者好鬬輕死。蒲、解本隸河東，故其俗頗純厚。被邊之地，以鞍馬、射獵為事，其人勁悍而質木。梁泉少桑麻之利，布泉、鹽酪資於他郡。上洛多淫祀，申以科禁，故其俗稍變。秦、隴、儀、渭、涇、原、邠、寧、鄜、延、環、慶等皆分兵屯守，以備不虞云。

三一六〈焦繼勳傳〉（卷二六一）

焦繼勳字成績，許州長社人。少讀書有大志，嘗謂人曰：「大丈夫當立功異域，取萬戶侯。豈能孜孜事筆硯哉？」遂棄其業，游三晉間為輕**俠**，以飲博為務。晉祖鎮太原，繼勳以儒服謁見，晉祖與語，悅之，留帳下。天福初，授皇城兼宮苑使，遷武德使。安重榮反鎮州，安從進自襄陽舉兵為應。晉祖命繼勳督諸將進討。至唐州南，遇從進軍萬餘，設伏擊敗之，擒其牙將安洪義、鮑洪等五十餘人，得山南東道印，從進單騎奔還。從進弟從貴率兵千餘人，援均州刺史蔡行遇，繼勳殺其眾七百，生擒百，獲從貴，斷腕放入城中，從進自此不能復鎮。繼勳以功就拜齊州防禦使。少帝即位，從進平，藉繼勳威名鎮之，徙襄陽防禦使。歲餘，入為右千牛衛大將軍，拜宣徽北院使，遷南院使。

三一七〈李穀傳〉（卷二六二）

李穀字惟珍，潁州汝陰人。身長八尺，容貌魁偉。少勇力善射，以任俠為事，頗為鄉人所困，發憤從學，所覽如宿習。年二十七，舉進士，連辟華、泰二州從事。

三一八〈楊業傳〉（卷二七二）

楊業，并州太原人。父信，為漢麟州刺史。業幼倜儻任俠，善騎射，好畋獵，所獲倍於人。嘗謂其徒曰：「我他日為將用兵，亦猶用鷹犬逐雉兔爾。」弱冠事劉崇，為保衛指揮使，以驍勇聞。累遷至建雄軍節度使，屢立戰功，所向克捷，國人號為「無敵」。

三一九〈楊美傳〉(卷二七三)

楊美，并州文水人。本名光美，避太宗舊名改焉。美狀貌雄偉，武力絕人，以豪**俠**自任。漢乾祐中，周祖征三叛，美杖策詣軍門求見，周祖召與語，壯之，留帳下。廣順初，累遷禁軍大校，從世宗征淮南，以功擢鐵騎都指揮使，領白州刺史。

三二〇〈郭進傳〉(卷二七三)

郭進，深州博野人。少貧賤，為鉅鹿富家傭保。有膂力，倜儻任氣，結豪**俠**，嗜酒蒲博。其家少年患之，欲圖殺進，婦竺氏陰知其謀，以告進，遂走晉陽依漢祖。漢祖壯其才，留帳下。晉開運末，契丹擾邊。漢祖建號太原。契丹主道殂，漢祖將入汴，進請以奇兵間道先趨洺州，因定河北諸郡。累遷乾、坊二州刺史。少帝即位，改磁州。

三二一〈元達傳〉(卷二七五)

元達，初名守旻，洺州雞澤人。身長八尺餘，負膂力，善射。家業農，不任作苦，委耒耜，慨歎而去之。事任**俠**，縱酒。嘗醉，見道旁槐樹，拔劍斬之，樹立斷，達私喜曰：「吾聞李將軍射石虎飲羽，今樹為我斷，豈神助歟？」嘗從少年數十百人欲起為盜，里中老父交戒之，乃止。時郡以戶籍調役，達當送徒闕下，行數舍，乃悉縱之，曰：「吾觀汝曹，亦丈夫也，豈樂為是哉？可善白為計，吾亦從此逝矣！」已而郡遣追捕，至則達援弓引滿待之，追者不敢近。由是亡命山林間，為鄉里患。

三二二〈劉謙傳〉（卷二七五）

劉謙，博州堂邑人。曾祖直，以純厚聞于鄉黨，里有盜其衣者，置不問。州將廉知，俾人故竊其衣，亦不訴理，即召詰前盜衣者，俾還之。直紿云：「衣乃自以遺少年，非竊也。」州將義之，賜以金帛，不受而去。父仁罕，輕俠自任。五代末，寇盜充斥，仁罕率眾斷澶州浮橋以潰賊，因誘獲數十人，出芻粟給官軍，補內黃鎮將。嘗因事至酒家，遇群寇暴集，以計悉梟其首，攜詣西京留守向拱，補汜水鎮將，俄為散都頭。宋初，遷許州龍衛副指揮使。會王師征廣南，為前鋒，還，改同州都校，卒。

三二三〈王延範傳〉（卷二八〇）

王延範，江陵人。形貌奇偉，喜任俠，家富於財。父保義，為荊南高氏行軍司馬兼領武泰軍留後。高從誨奏署延範太子舍人。後隨從誨孫繼沖入覲，薦為大理寺丞，知泰州。累遷司門員外郎。

三二四〈李若谷傳〉（卷二九一）

（李）壽朋字延老。慶曆初，與弟復圭同試學士院，賜進士出身，判吏部南曹。使行諸陵，奏言：「昭憲皇后誕育二聖，為國文母，獨以合葬安陵，不及時祭，請更其禮。」從之。遷群牧判官，擊斷敏甚。皇城卒邏其縱游無度，出知汝州。盡推職田之入歸前守楊畋；畋死，又經理其家。以饑歲營州廨勞民，降為荊門軍。歷開封府推官、戶部判官、知鳳翔府滄州。滄地震，壞城郭帑庾。壽朋以席為屋，督吏采繕葺，未數月，復其舊。括蕪田三萬頃，縱民耕，擇其壯者使習兵。河方北涌，隨塞之，故道陿，壽朋度必東潰，諭居人徙避，後三縣四鎮果墊焉。司馬光出使，薦其能，加直史館。入直舍人院、同修起居注，進戶部、鹽鐵副使。性疏雋任俠，奉祠西太一宮，飲酒食肉如常時，暴得疾卒。詔中使撫其孥，賜白金三百兩。

三二五〈鄭戩傳〉（卷二九二）

鄭戩字天休，蘇州吳縣人，早孤力學。客京師，事楊億，以屬辭知名，後復還吳。及億卒，賓客弟子散去，戩乃倍道會葬。舉進士，擢甲科，授太常寺奉禮郎，簽書寧國軍節度判官事，召試學士院，為光祿寺丞、集賢校理、通判越州。還，改太子中允、同知太常禮院，注釋御製發願文、三寶證，升直史館、三司戶部判官，同修起居注，以右正言知制誥。判國子監，選明經生講解經義。徙知審官院，遷起居舍人、龍圖閣直學士、權知開封府。

吏馮士元為姦利，有告士元受賕藏禁書者，戩窮治之。辭連宰相呂夷簡，知樞密院盛度、參知政事程琳，遂逮捕夷簡子公綽、公弼參劾其狀。既而士元流海島，度、琳坐嘗交關士元罷去，其餘絀罰者自御史中丞孔道輔、天章閣待制龐籍又十餘人，朝議畏其繳核。戩敏彊善聽決，喜出不意，獨假貸細民，即豪宗大姓，繩治益急，政有能迹。徙權三司使，復轉運使考課格，分別殿最。又勾較三司出入，得羨錢四百萬緡，以右諫議大夫、同知樞密院改樞密副使。

戩與參知政事宋庠，為宰相呂夷簡所忌，與庠皆罷，以資政殿學士知杭州。錢塘湖溉民田數十頃，錢氏置撩清軍，以疏淤填水患。既納國後不復治，葑土堙塞，為豪族僧坊所占冒，湖水益狹。戩發屬縣丁夫數萬闢之，民賴其利。事聞，詔本郡歲治如戩法。

遷給事中，徙并州，道改鄆州，又徙永興軍，建言：「凡軍行所須，願下有司相緩急，析為三等，非急罷去。」先是，衙吏輸木京師，浮渭泛河，多漂沒，既至，則斥不中程，往往破家不能償，戩奏歲減二十餘萬；又奏罷括糴，以勸民績粟。長安故都多豪惡，戩治之尚嚴，甚者至黥竄，人皆惕息。

未幾，為陝西四路都總管兼經署、安輔、招討使，駐涇州，聽便宜從事。遷尚書禮部侍郎。時知慶州滕宗諒、知渭州張亢過用公使錢，戩致于法。行邊至鎮戎軍，趣蓮花堡，天寒，與將佐置酒，元昊擁兵近塞。會暮晨起，有報敵騎至者，戩曰：「此必三川將按邊回，非敵騎也。」已而果然。及疆事少寧，詔還，知永興軍。

初，鏡邊砦主劉滬謀築水洛、結公二城，以通秦、渭援兵，招生羌大王族為邊衛。戩使滬與著作佐郎董士廉都其役。會罷戩四路，安輔使韓琦、知渭州尹洙皆以為不便，召滬、士廉罷役歸，不聽。乃使裨將狄青將兵以往，械送德順軍獄。戩力爭于朝，卒城之。

進戶部侍郎、資政殿大學士、知并州。契丹與元昊方交兵，邊奏互上，獨戩不以聞。詔遣使問其故，戩對：「敵自相攻，中國不足憂也。」鄜、府間有棄地曰草城川，戩募土人為弓箭手，計口給田。初，兵興，用不足。河東行鐵錢，山多炭、鐵，鼓鑄利厚，重辟不能止。戩乃請三當一。令既下，兵民相扇動，數千人邀走馬承受訴。承受，中貴人，不能遏。又群譟州門，守門者拒不得入。戩聞，悉召至庭下，推首謀者數千人，黥隸他州，事乃定。

遷吏部侍郎，改宣徽北院使，拜奉國軍節度使，卒。贈太尉，謚文肅。戩遇事，果敢必行。然憑氣近**俠**，用刑峻深，士民多怨之。

三二六〈燕肅傳〉（卷二九八）

燕肅字穆之，青州益都人。父峻，慷慨任**俠**，楊光遠反時，率其屬迎符彥卿，遂家曹州。肅少孤貧，游學。舉進士，補鳳翔府觀察推官。寇準知府事，薦改秘書省著作佐郎、臨邛縣。縣民嘗苦吏追擾，肅削木為牘，民訟有連逮者，書其姓名，使自召之，皆如期至。知考城縣，通判河南府。召為監察御史，準方知河南，奏留之。

三二七〈陳希亮傳〉（卷二九八）

陳希亮，字公弼，其先京兆人。……。

四子，悅，度支郎中。恪，滑州推官。恂，大理寺丞。慥字季常，少時使酒好劍，用財如糞土，慕朱家、郭解為人，閭里之俠皆宗之。在岐下，嘗從兩騎挾二矢與蘇軾遊西山。鵲起於前，使騎逐而射之，不獲，乃怒馬獨出，一發得之。因與軾馬上論用兵及古今成敗，自謂一世豪士。稍壯，折節讀書，欲以此馳騁當世，然終不遇。洛陽園宅壯麗與公侯等，河北有田歲得帛千匹，晚年皆棄不取。遯於光、黃間，曰岐亭。庵居蔬食，徒步往來山中，妻子奴婢皆有自得之意，不與世相聞，人莫識也。見其所著帽方屋而高，曰：「此豈古方山冠之遺像乎？」因謂之「方山子」。及蘇軾謫黃，過岐亭，識之，人始知為慥云。

三二八〈楊允恭傳〉（卷三〇九）

楊允恭，漢州綿竹人。家世豪富，允恭少倜儻任俠。乾德中，王師平蜀，群盜竊發，允恭裁弱冠，率鄉里子弟砦于清泉鄉，為賊所獲，將殺之。允恭曰：「苟活我，當助爾。」賊素聞其豪宗，乃釋之。陰結賊帥子，日與飲博，陽不勝，償以貲，使伺賊。賊將害允恭，其子以告，因遁去。內客省使丁德裕討賊至州，允恭以策干之，署綿、漢招收巡檢，賊平，補殿前承旨。

三二九〈劉平傳〉（卷三二五）

劉平字士衡，開封祥符人。父漢凝，從太宗征河東岢嵐、憲州，累遷崇儀使。平剛直任**俠**，善弓馬，讀書彊記。進士及第，補無錫尉，擊賊殺五人，擢大理評事。知鄢陵縣，徙南充。夷人寇淯井監，轉運使以平權瀘州事，平率土丁三千擊走之。祠汾陰，還本寺丞。還，路由安州，遇賊十數人，平發矢斃三賊，餘駭散。以寇準薦，為殿中丞、知瀘州，夷人懲前敗，不敢擾邊。

三三〇〈耿傅傳〉（卷三二五）

耿傅，字公弼，河南人。………。

傅少喜**俠**高氣，初以父蔭為三班奉職，換伊陽縣尉，歷明州司理參軍，遷將作監丞、知永寧縣。河南守宋綬薦其材，遷通判儀州，徙慶州。時議進兵西討，以傅督一道糧饋。會元昊入京，參任福行營軍事，遇敵姚家川，諸將失利，敵騎益至，武英勸傅避去，傅不答。英嘆曰：「英當死，君文吏，無軍責，奈何與英俱死？」朱觀亦白傅少避賊鋒，而傅愈前，指顧自若，被數創，乃死。

三三一〈石公弼傳〉（卷三四八）

張商英入相，欲引（石公弼）為執政，何執中、吳居厚交沮之。以樞密直學士知揚州。群不逞為**俠**於閭里，自號「亡命社」。公弼取其魁傑痛治，社遂破散。江賊巢藏菰蘆中，白晝出剽，吏畏不敢問。公弼嚴賞罰督捕，盡除之。

三三二〈林攄傳〉（卷三五一）

林攄字彥振，福州人，徙蘇。父邵，顯謨閣學士。攄用蔭至敕令檢討官。蔡京講明熙寧、元豐故事，引以為屬，遷屯田、右司員外郎。……

集英臚唱貢士，攄當傳姓名。不識「甄盎」字，帝笑曰：「卿誤邪？」攄不謝，而語詆同列。御史論其寡學，倨傲不恭，失人臣禮，黜知滁州。言者不厭，罷，提舉洞霄宮。起為越州、永興軍，皆以親年高辭。拜端明殿學士，久之，知揚州，政以察察聞，鉏大**俠**，繩污吏，下不敢欺。有行商寓逆旅，晨出不反，館人以告，攄曰：「此當不遠，或利其貨殺之耳。」指蹤物色，得屍溝中，果城民張所為也。

三三三〈王倫傳〉（卷三七一）

王倫字正道，莘縣人，文正公旦弟勗玄孫也。家貧無行，為任俠，往來京、洛間，數犯法，幸免。汴京失守，欽宗御宣德門，都人喧呼不已，倫乘勢徑造御前曰：「臣能彈壓之。」欽宗解所佩夏國寶劍以賜，倫曰：「臣未有官，豈能彈壓？」遂自薦其才。欽宗取片紙書曰：「王倫可除兵部侍郎。」倫下樓，挾惡少數人，傳旨撫定，都人乃息。宰相何㮚以倫小人無功，除命太峻，奏補修職郎，斥不用。

三三四〈劉　黻傳〉（卷四〇五）

劉黻字聲伯，樂清人。早有令聞，讀書鴈蕩山中僧寺。年三十四，以淳祐十年試入太學，儕輩已翕然稱之。時丁大全方為臺屬，劾奏丞相董槐，迫逐去國，將奪其位。黻率同舍生伏闕上書，大概言朝廷進退大臣，須當以禮。書上，忤執政，送南安軍安置，歸別其母解氏。解氏曰：「為臣死忠，以直被貶，分也。速行！」黻至南安，盡取濂、洛諸子之書，摘其精切之語，輯成書十卷，名曰《濂洛論語》。及大全貶，黻還學。未幾，侍御史陳垓誣劾程公許，右正言蔡榮誣劾黃之純，二公罷出，六館相顧失色，黻又率諸生上書言：

（略）

陛下萬機之暇，試以公許、之純與垓、榮等熟思而靜評之，其言論孰正孰邪，孰忠孰佞，雖中智以下之主，猶知判別是非，況以陛下明聖而顧不察此？近見公許奏疏，嘗告陛下揭至公以示天下；垓則以秘密之說惑上聽。公許嘗告陛下以寵賂日章，官邪無警，欲塞倖門，絕曲徑；垓則縱俠客以兜攬關節，持闔扁以脅取舉狀，開賂門以簸弄按章。至若之純之告陛下，力伸邪正之辯，明斥媢相之非，謇謇諤諤，流出肺肝；榮身居言責，聞其風聲，自當愧死，尚敢妄肆萋菲，詈無人心乎？

（略）

三三五〈儒林傳四〉（卷四三四）

陸九齡字子壽。八世祖希聲，相唐昭宗，孫德遷，五代末避亂居撫州之金溪。父賀，以學行為里人所宗，嘗采司馬氏冠昏喪祭儀行於家，生六子，九齡其第五子也。幼穎悟端重，十歲喪母，其哀毀如成人。稍長，補郡學弟子員。

時秦檜當國，無道程氏學者，九齡獨尊其說。久之，聞新博士學黃、老，不事禮法，慨然嘆曰：「此非吾所願學也。」遂歸家，從父兄講學益力。是時，吏部員外郎許忻有名中朝，退居臨川，少所賓接，一見九齡，與語大說，盡以當代文獻告之。自是九齡益大肆力於學，繙閱百家，晝夜不倦，悉通陰陽、星曆、五行、卜筮之說。

性周謹，不肯苟簡涉獵。入太學，司業汪應辰舉為學錄。登乾道五年進士第。調桂陽軍教授，以親老道遠，改興國軍，未上，會湖南茶寇剽廬陵，聲搖旁郡，人心震懾。舊有義社以備寇，郡從眾請以九齡主之，門人多不悅，九齡曰：「文事武備，一也。古者有征討，公卿即為將帥，比閭之長，則五兩之率也。士而恥此，則豪俠武斷者專之矣。」遂領其事，調度屯禦皆有法，寇雖不至，而郡縣倚以為重。暇則與鄉之子弟習射，曰：「是固男子之事也。」歲惡，有剽劫者過其門，必相戒曰：「是家射多命中，無自取死。」

及至興國，地濱大江，俗儉嗇而鮮知學。九齡不以職閒自佚，益嚴規矩，肅衣冠，如臨大眾，勸綏引翼，士類興起。不滿歲，以繼母憂去。服除，調全州教授。未上，得疾。一日晨興，坐床上與客語，猶以天下學術人才為念。至夕，整襟正臥而卒，年四十九。寶慶二年，特贈朝奉郎、直秘閣，賜謚文達。

三三六〈儒林傳六〉（卷四三六）

陳亮字同父，婺州永康人。生而目光有芒，為人才氣超邁，喜談兵，論議風生，下筆數千言立就。嘗攷古人用兵成敗之跡，著酌古論，郡守周葵得之，相與論難，奇之，曰：「他日國士也。」請為上客。及葵為執政，朝士白事，必指令揖亮，因得交一時豪俊，盡其議論。因授以中庸、大學，曰：「讀此可精性命之說。」遂受而盡心焉。……

亮自以豪俠屢遭大獄，歸家益厲志讀書，所學益博。其學自孟子後惟推王通，嘗曰：「研窮義理之精微，辨析古今之同異，原心於杪忽，較禮於分寸，以積累為工，以涵養為正，睟面盎背，則於諸儒誠有愧焉。至於堂堂之陳，正正之旗，風雨雲雷交發而並至，龍蛇虎豹變現而出沒，推倒一世之智勇，開拓萬古之心胸，自謂差有一日之長。」亮意蓋指朱熹、呂祖謙等云。

三三七〈文苑傳五〉（卷四四三）

賀鑄字方回，衛州人，孝惠皇后之族孫。長七尺，面鐵色，眉目聳拔。喜談當世事，可否不少假借，雖貴要權傾一時，小不中意，極口詆之無遺辭，人以為近俠。博學強記，工語言，深婉麗密，如次組繡。尤長於度曲，掇拾人所棄遺，少加檃括，皆為新奇。嘗言：「吾筆端驅使李商隱、溫庭筠常奔命不暇。」諸公貴人多客致之，鑄或從或不從，其所不欲見，終不貶也。

初，娶宗女，隸籍右選，監太原工作，有貴人子同事，驕倨不相下。鑄廉得盜工作物，屏侍吏，閉之密室，以杖數曰：「來，若某時盜某物為某用，某時盜某物入于家，然乎？」貴人子惶駭謝「有之」。鑄曰：「能從吾治，免白髮。」即起自袒其膚，杖之數下，貴人子叩頭祈哀，即大笑釋去。自是諸挾氣力頡頏者，皆側目不敢仰視。是時，江、淮間有米芾以魁岸奇譎知名，鑄以氣俠雄爽適相先後，二人每相遇，瞋目抵掌，論辯鋒起，終日各不能屈，談者爭傳為口實。

三三八〈文苑傳六〉（卷四四四）

（劉恕）次子和仲，有超軼材，作詩清奧，刻厲欲自成家，為文慕石介，有俠氣，亦蚤死。

三三九〈忠義傳三〉（卷四四八）

李彥仙字少嚴，初名孝忠，寧州彭原人，徙鞏州。有大志，所交皆豪俠士。閑騎射。家極邊，每出必陰察山川形勢，或瞯敵人縱牧，取其善馬以歸。嘗為种師中部曲，入雲中，獲首級，補校尉。靖康元年，金人犯境，郡縣募兵勤王，遂率士應募，補承節郎。李綱宣撫兩河，上書言綱不知兵，恐誤國。書聞，下有司追捕，乃亡去，易名彥仙。以效用從河東軍，諜金人還，復補校尉。

三四〇〈忠義傳七〉（卷四五二）

孫益，揚州泰興人。少豪俠。紹定中，李全犯揚州，遊騎薄泰興城下，縣令王爚募人守禦，益起從之。俄賊兵大至，益率眾拒之。眾見賊勢盛，且前且卻，益厲聲呼曰：「王令君募我來，將以守護城邑也。今賊至城下，我輩不為一死，復何面目見令君乎？」遂身先赴敵，死之。

三四一〈忠義傳九〉（卷四五四）

A

鄒渢字鳳叔，吉水人，後徙永豐。少慷慨有大志，以豪**俠**鳴。從文天祥勤王，補武資至將軍。益王立，改寺丞，領江西招諭副使。聚兵寧都，得數萬，改授江西安撫副使。復興國、永豐二縣，進兵部侍郎兼江東、西處置副使。及永豐敗，繼從天祥間關嶺道，未幾，復出開督府，分司永豐、興國境上。北兵驟至，大戰，渢脫身走至潮州。及天祥被執，渢自殺。

B

杜滸字貴卿，丞相範從子也，少負氣遊**俠**。德祐元年，有詔勤王，滸時宰縣，糾集民兵得四千人。文天祥開閫平江，往附焉。時陳志道等贊天祥出使，滸力爭不可，志道逐之去，已而天祥果見留，志道竊藏逃歸。天祥北行，諸客無敢從者，滸獨慨然請行。特改兵部架閣。從京口，以計賂守夜劉千戶者，得官鐙，脫天祥，偕走淮甸，緜海道以達永嘉。

三四二〈忠義傳十〉（卷四五五）

華岳字子西，為武學生，輕財好**俠**。韓侂胄當國，岳上書曰：

旬月以來，都城士民彷徨四顧，若將喪其室家；諸軍妻子隱哭含悲，若將驅之水火。閧閧籍籍，欲語復噤，駭於傳聞，莫曉所謂。臣徐考之，則侍衛之兵日月潛發，樞機之遞星火交馳，戎作之役倍於平時，郵傳之程兼於疇昔，乃知陛下將有事於北征也。

侂胄以后族之親，位居極品，專執權柄，公取賄賂，畜養無籍吏僕，委以腹心，賣名器，私爵賞，睥睨神器，窺覘宗社，日益炎炎，不敢嚮爾。此外患之居吾腹心者也。

朝臣有以庸瑣之資，請媚師旦，驟入政府者，有以諛佞之資，附阿侂胄，致身顯貴者。陳自強老不知恥，貪不知止，私植黨與，陰結門第，凡見諸行事，惟知侂胄，不知君父。此外患之居吾股肱者也。

爽、奕、汝翼諸李之貪懦無謀，倪、僎、倬、杲諸郭之膏粱無用，諸吳之恃寵專僭，諸彭之庸孱不肖，皇甫斌、魏文諒、毛致通、秦世輔之彫瘵軍心、瘡痍士氣，以致陳孝慶、夏興祖、商榮、田俊邁之徒，皆以一卒之材，各得把麾專制，平日剜膏刻血，包苴侂胄，以致通顯，饑寒之士咸願食其肉而不可得。萬一陛下付以大事，彼之首領自不可保，奚暇爲陛下計哉？此外患之居吾爪牙者也。

程松之納妾求知，或以售妹入府，或以獻妻入閤，魯誼之貢子爲郎，富宮之庸駑充位。此外患之居吾耳目者也。

蘇師旦以檥吏冒節鉞，牙儈名爵；周筠以隸卒冒戎鈐，市易將相。此外患之扼吾咽喉者也。彼之所謂外患者實未足憂，而此之外患蓋已周吾一身之間矣。

「禮樂征伐，自天子出」。所貴乎中國者，皆聽命於陛下也。今也與奪之命、黜陟之權，又不出於陛下，而出於侂胄。是吾有二中國也。命又不出於侂胄，而出於蘇師旦、周筠。是吾有三中國也。女真以區區之地，猶能逼我淮、漢，曾謂外患之居吾腹心、股肱、耳目、爪牙及吾咽喉，而不憑陵吾之宗廟社稷乎？曾謂一家之中自爲秦、越，一舟之中自爲敵國，而能制遠人乎？比年軍皆掊克，而士卒自仇其將佐；民皆侵漁，而百姓自畔其守令，家自爲戰。此又啟吾中國億萬之仇敵也。今不務去吾腹心、股肱、爪牙、耳目、咽喉與夫億萬之仇敵，而欲空國之師，竭國之財，而與遠人相從於血刃相塗之地，顧不外用其心歟？

臣嘗推演兵書，自去歲二元甲子，五福太一初度吳分，四神直符對臨荊、楚，始擊蜚符旁臨甌、粵，青門直使交次于幽、冀，黑殺黃道正按于燕、趙。考之成法，主算最長，客算最短。兵以先發爲客，後發爲主。自太歲乙丑至庚午六年之間，皆不利於先舉。儻其畔盟犯義，撓我疆埸，至於事不獲已，然後應之，則反主爲客，猶曰庶幾。萬一國家首事倡謀，則將帥內睽，士卒外畔，肝腦萬民，血刃千里。此天數之不利於先舉也。矧將帥庸愚，軍民怨懟，馬政不講，騎士不熟，豪傑不出，英雄不收，餽糧不豊，形便不固，山砦不脩，堡壘不設，吾雖帶甲百萬，饋餉千里，而師出無功，不戰自敗。此人事之不利於先主也。

臣願陛下除吾一身之外患。吾中國之外患既已除，然後公道開明，正人登用，法令自行，紀綱自正，豪傑自歸，英雄自附，侵疆自還，中原自復，天下自底於和平，四海自躋於仁壽，何俟乎兵革哉？不然，則亂臣賊子毀冕裂冠，哦九錫隆恩之詩，恃貴不可倖之相，私妾內姬，陰臣將相，魚肉軍士，塗炭生靈，墜百世之遠圖，虧十廟之遺業。

陛下此時雖欲不與之偕亡，則禍迫於身，權出於人，俛首待終，何臍可噬。事之未然，難以取信，臣願以身屬之廷尉，待其軍行用師，勞還奏凱，則梟臣之首風遞四方，以爲天下欺君罔上者之戒。儻或干戈相尋，敗亡相繼，強敵外攻，姦臣內畔，與臣所言盡相符契，然後令臣歸老田里，永爲不齒之民。

書奏，侂胄大怒，下大理，貶建寧圜土中。郡守傅伯成憐之，命獄卒使出入毋繫。伯成去，又迕守李大異，復寘獄。

三四三〈隱逸傳上〉（卷四五七）

郭京者，少任俠，不事家產，平居好言兵。范仲淹、滕宗諒數薦之。

三四四〈列女傳〉（卷四六〇）

A

朱氏，開封民婦也。家貧，賣巾屨簪珥以給其夫。夫日與**俠**少飲博，不以家為事，犯法徙武昌。父母欲奪而嫁之，朱曰：「何迫我如是耶？」其夫將行，一夕自剄死，且曰：「及吾夫未去，使知我不為不義屈也。」吳充時為開封府判官，作阿朱詩以道其事。

B

劉氏，海州朐山人，適同里陳公緒。紹興末，金人犯山東，郡縣震響，公緒倡義來歸，偶劉歸寧，倉卒不得與偕，惟挈其子庚以行，宋授以八品官，後累功至正使。劉留北方，音問不通。或語之曰：「人言『貴易交，富易妻』。今陳已貴，必他娶矣，盍改適？」曰：「吾知守吾志而已，遑卹乎他？」公緒亦不他娶。子庚浸長，輒思念涕泣，傾家貲，結任**俠**，奔走淮甸，險阻備嘗。如是者十餘年，遂得迎母以歸。劉在北二十五年，嘗緯蕭以自給。

三四五〈方技傳下〉（卷四六二）

王克明字彥昭，其使饒州樂平人，後無湖州烏程縣。……。

克明頗知書，好**俠**尚義，常數千里赴人之急。初試禮部中選，累任醫官。王炎宣撫四川，辟克明，不就。炎怒，劾克明避事，坐貶秩。後遷至額內翰林醫痊局，賜金紫。紹興五年卒，年六十七。

三四六〈外戚傳中〉（卷四六四）

（曹）偕字光道，少讀書知義，以節俠自喜。為許州都監，幕客史沆傾險劫持為不法，上下畏之。偕從容置酒，對客數沆十罪，將擊殺之，沆起拜謝，偕罵曰：「復不改，必殺汝。」沆為斂迹。累遷東上閤門使、帶御器械。知雄州，議者欲廢塘濼為田，偕曰：「何承矩、李允則營此累年，所以限契丹，廢之不可。」進華州防禦使，知相州，徙河陽總管，卒。嘗從梅堯臣學詩，堯臣稱之，為序其詩。

三四七〈叛臣傳中〉（卷四七六）

大元兵退，金乃遣完顏霆為山東行省，黃摑為經歷官，將花帽軍三千討之，敗安兒于闌頭滴水，斷其南路。安兒輕舸走即墨，金人募其頭千金，舟人斬以獻。安兒無子，從子友偽稱「九大王」，不閑軍務。安兒妹四娘子狡悍善騎射，劉全收潰卒奉而統之，稱曰「姑姑」，眾尚萬餘，掠食至磨旗山，全以其眾附，楊氏通焉，遂嫁之。全合軍與霆戰，又敗。霆驍將張惠望見全，躍馬赴之，槍及全，若有縶其馬足而止者。全得收餘眾保東海，劉全分軍駐嵎上。霍儀攻沂州不下，霆自清河出徐州，斬儀，潰其眾。彭義斌歸李全。黃摑者，即阿魯達。霆即李二措，賜姓完顏。惠號「賽張飛」，燕俠士也。此數人者，出沒島嶼，寶貨山委而不得食，相率食人。

有沈鐸者，鎮江武鋒卒也。亡命盜販山陽，誘致米商，斗米輒售數十倍，知楚州應純之償以玉貨，北人至者輒舍之。又說純之以歸銅錢為名，弛度淮之禁，來者莫可遏。安兒之未敗也，有意歸宋，招禮宋人。定遠民季先者，嘗為大俠劉佑家廝養，隨佑部綱客山陽，安兒見而說之，處以軍職。安兒死，先至山陽，寅緣鐸得見純之，道豪傑願附之意。時江、淮制置李珏、淮東安撫崔與之皆令純之沿江增戍，恐不能禦，乃命先為機察，諭意群豪；敍復鐸為武鋒軍副將，辟楚州都監，與高忠皎各集忠義民兵，分二道攻金。先遂以李全五千人附忠皎，合兵攻剋海州，糧援不繼，退屯東海。全分兵襲破莒州。擒金守蒲察李家，別將于洋克密州，兄福克青州，始授全武翼大夫、京東副總管。純之見北軍屢捷，密聞于朝，謂中原可復。時頻歲小稔，朝野無事，丞相史彌遠鑒開禧之事，不明招納，密敕珏及純之慰接之，號「忠義軍」，就聽節制。於是有旨依武定軍生券例，放錢糧萬五千人，名「忠義糧」。於是東海馬良、高林、宋德珍等萬人輻湊漣水，鐸納之，全與劉全俱起羨心焉。

《金　史》

三四八〈王倫傳〉（卷七九）

王倫字正道，故宋宰相王旦弟王勉玄孫。俠邪無賴，年四十餘尚與市井惡少群游汴中。

天會五年，宋人以倫為假刑部侍郎，與閤門舍人朱弁充通問使。是時，方議伐宋，凡宋使者如倫及文字虛中、魏可行、顧縱、張邵等，皆留之不遣。居數年，倫久困，乃唱為合議求歸。元帥府使人謂之曰：「此非江南情實，特汝自為此言耳。」倫曰：「使事有指，不然何為來哉。惟元帥察之。」

天會十年，劉豫連歲出師皆無功，撻懶為元帥左監軍經略南邊，密主和議，乃遣倫歸。先此，宋已遣使乞和，朝廷未之許也。倫見康王言議和事，康王大喜，遷倫官，并其弟子。宋方與齊用兵，未可和。

天會十五年，康王聞天水郡王已薨，以倫為假學士來請其喪，使倫請撻懶曰：「河南之地，上國既不自有，與其封劉豫，曷若歸之趙氏。」是歲，劉豫受封已八年，不能自立為國，尚勤屯戍，朝廷厭其無能為也，乃廢劉豫。撻懶以左副元帥守汴京，於是倫適至。撻懶，太祖從父兄弟，於熙宗為祖行。太宗長子宗磐以太師領三省事，位在宗幹上。宗翰薨已久，宗幹不能與宗磐獨抗。明年，天眷元年，撻懶與東京留守宗雋俱入朝，熙宗以宗雋為左丞相。宗雋，太祖子也。撻懶、宗磐、宗雋三人皆跋扈嗜利，陰有異圖，遂合議以齊地與宋，自宗幹以下爭之不能得。以侍郎張通古為詔諭江南使，遣倫先歸。

明年，宋以倫為端明殿學士，簽書樞密院事，進金器千兩、銀器萬兩，復來請天水郡王喪柩，及請母韋氏兄弟宗族等。保信軍節度使藍公佐副之。是歲，宗磐、宗雋、撻懶皆以謀反屬吏，熙宗誅宗磐、宗雋，以撻懶屬尊，赦其死，以為行臺尚書省事左丞相，奪其兵權。右副元帥宗弼奏曰：「撻懶、宗磐陰與宋人交通，遂以河南、陝西地與宋人。」會撻懶復謀反，捕而殺之於祁州。倫至上京，有司詳讀康王表，文不書年，閱進奉狀，稱禮物不言職貢，上使宰相責問倫曰：「彼但知有元帥，豈知有上國耶。」遂留不遣，遣其副藍公佐歸。

三年五月，宗弼復取河南、陝西地，遂伐江南，已渡淮。皇統元年，宋人請和，二年二月，宋端明學士何鑄、容州觀察使曹勛進誓表。三月，遣左副使點檢賽里、山東西路都轉運使劉裪送天水郡王喪柩，及宋帝母韋氏還江南。五月，李正民、朱弁、張邵、洪皓南歸。

四年，以倫為平州路轉運使，倫已受命復辭遜，上曰：「此反覆之人也。」遂殺之於上京，年六十一。

三四九〈國用安傳〉（卷一七〇）

初，（高）天祐等出汴，微服間行，經北軍營幕，至通許崔橋始有義軍招撫司官府，去京師二百里矣。至陳州，防禦使粘葛奴申始立州事。留二日，至項城，縣令朱珍立縣事，有士卒千二百人。至泰和縣，縣令王義立縣已五月矣。八月，至宿州，衆僧奴得報，且知朝廷授以權宿州節度使、兼元帥左都監之命，具彩輿儀衛出城五里奉迎。時東方不知朝廷音問已八月矣，官民見使者至，且拜且哭。有張顯者任**俠**尚氣知義理，即謂天祐曰：「東方不知朝廷音問已數月，今見使者，百姓皆感動。若不以聖旨撫慰之，恐失東民之心。我欲矯稱制旨宣諭，如何。」天祐書生守規矩，不敢從，但以宰相旨集州民慰撫之，州民復大哭。明日，往徐州。

《元　史》

三五〇〈張柔傳〉（卷一四七）

張柔字德剛，易州定興人，世力農。柔少慷慨，尚氣節，善騎射，以豪俠稱。金貞祐間，河北盜起，柔聚族黨保西山東流寨，選壯士，結隊伍以自衛，盜不敢犯。郡人張信，假柔聲勢，納流人女為妻，柔鞭信百，而還其女。信憾之，謀結黨害柔。未幾，信有罪當誅，柔救之得免，於是驍勇之士，多慕義從之。

三五一〈史天倪傳〉（卷一四七）

史天倪字和甫，燕之永清人。曾祖倫，少好俠，因築室發土得金，始饒於財。金末，中原塗炭，乃建家塾，招徠學者，所藏活豪士甚眾，以俠稱於河朔，士族陷為奴虜者，輒出金贖之。甲子，歲大侵，發粟八萬石賑饑者，士皆爭附之。祖成珪，倜儻有父風。遭亂，盜賊四起，乃悉散其家財，唯存廩粟而已。

三五二〈嚴實傳〉（卷一四八）

嚴實字武叔，泰安長清人。畧知書，志氣豪放，不治生產，喜交結施與，落魄里社間。屢以事繫獄，俠少輩為出死力，乃得脫去。

三五三〈劉伯林傳〉（卷一四九）

劉伯林，濟南人。好任俠，善騎射，金末為威寧防城千戶。壬申歲，太祖圍威寧，伯林知不能敵，乃縋城詣軍門請降。太祖許之，遣禿魯花等與偕入城，遂以城降。帝問伯林，在金國為何官，對曰：「都提控。」即以元職授之，命選士卒為一軍，與太傅耶律禿懷同征討，招降山後諸州。

太祖北還，留伯林屯天城，遏金兵，前後數十戰。進攻西京，錄功，賜金虎符，以本職充西京留守，兼兵馬副元帥。癸酉，從征山東，攻梁門、遂城，下之。乙亥，同國王華黎攻破燕京。丁丑，復從大軍攻下山東諸州。木華黎上其功，賜名馬二十匹，錦衣一襲。戊寅，同攻下太原、平陽。乙卯，破潞、絳及火山、聞喜諸州縣。時論欲徙聞喜民實天成，伯林以北地喪亂，人艱於食，力爭而止之。部曲所獲俘虜萬計，悉縱之。

在威寧十餘年，務農積穀，與民休息，鄰境凋瘵，而威寧獨為樂土。嘗曰：「吾聞活千人者後必封，吾之以活，何啻萬餘人，子孫必有興者乎！」辛巳，以疾卒，年七十二。累贈太師，封秦國公，謚忠順。子黑馬。

三五四〈任速哥傳〉（卷一八四）

任速哥，渤海人。自幼事父母以孝稱。性倜儻，尤峭直，疏財而尚氣，不尚勢利。義之所在，必亟為之，有古俠士風。而家居恂恂，儒者不能過。初襲父官，為右衛千戶。公卿以其賢，薦于朝。英宗召見，與語奇之。由是出入禁闥，待以心腹，將擇重職處之。未幾，鐵失與倒剌沙搆謀，英宗遇弒，遂引去。自是不復出仕，居常扼腕，或醉歸，慟哭過市，時人目以為狂，莫知其意也。

三五五〈張楨傳〉（卷一八六）

張楨字約中，汴人。幼刻苦讀書，登元統元年進士第，授彰德路錄事，辟河南省行掾。楨初娶祁氏，祁生富貴家，頗驕縱，見楨貧，不為禮，合巹踰月，即出之。祈之兄訟於官，且污楨以黯昧事，左右司官聽之，楨因移疾不出，滯案俱積。平章事月？魯木帖兒怒曰：「張楨，剛介士也，豈汝曹所當議耶！」郎中虎者禿謁而謝之，乃起。范孟為亂，矯殺月魯木帖兒等，城中大擾，楨暮夜縋城出，得免。

踰年，除高郵縣尹，門無私謁。縣民張提領，尚任俠，武斷鄉曲。一日，至縣有所囑，楨執之，盡得其罪狀，里中受其抑者，咸來訴焉，乃杖而徙之，人以為快。守城千戶狗兒妻崔氏，為其小婦所譖，虐死，其鬼憑七歲女詣縣訴楨，備言死狀，尸見瘞舍後，楨率吏卒即其所，發土得尸，拘狗兒及小婦，鞫之，皆伏辜，人以為神明焉。

三五六〈劉哈剌不花傳〉（卷一八八）

劉哈剌不花，其先江西人。倜儻好義，不事家產，有古俠士風。居燕趙有年，遂為探馬赤軍戶。

至正十二年，潁、亳盜起，朝廷以為泰不花為河南行省平章政事，總兵討之。哈剌不花上陳十書，其七言兵機及攻守方略。泰不花大喜，即辟為掾史。未幾，奏除左右司都事。泰不花以哈剌不花嘗為探馬赤，有膂力，善騎射，俾統前八翼軍，為先鋒將。明號令，信賞罰，士皆樂為之用，而料敵成敗，所向無失。是時，答失八都魯軍潰於長葛，收集散卒，復屯中牟。哈剌不花軍於汴梁南彭子岡，有自長葛來者，言總兵官以為賊所敗，次中牟。哈剌不花曰：「賊既捷，兵必再至，我不可不往援。」遂整兵而前。既而有使馳報：夜四鼓，賊從洧川渡河，未知其所向。哈剌不花曰：「是必襲答失八都魯營耳。我行已緩，不及事，不若以精銳斷賊歸路，覆之必矣。」於是領兵徐行。天未明，伏軍歸其路。賊果襲答失八都魯營，大掠輜重而回。哈剌不花伏軍四起，賊大敗，盡俘獲之。當是時，答失八都魯雖以平章政事總大兵，而哈剌不花功名與之相埒。

十七年，山東毛貴率其賊眾，由河間趨直沽，遂犯漷州，至棗林。已而略柳林，逼畿甸，樞密副使達國珍戰死，京師人心大駭。在廷之臣，或勸乘輿北幸以避之，或勸遷都關陝，眾議紛然，獨左丞相太平執不可。哈剌不花時為同知樞密院事，奉詔以兵拒之，與之戰於柳林，大捷。貴眾悉潰退，走據河南，京師遂安，哈剌不花之功居多。哈剌不花後遷河南行省平章政事以卒。

三五七〈儒學傳二〉（卷一九〇）

陳孚字剛中，台州臨海人。幼清峻穎悟，讀書過目輒成誦，終身不忘。至元中，孚以布衣上大一統賦，江浙行省為轉聞於朝，署上蔡書院山長，考滿，謁選京師。

二十九年，世祖命梁曾以吏部尚書再使安南，選南士為介，朝臣薦孚博學有氣節，調翰林國史院編修官，攝禮部郎中，為曾副。陛辭，賜五品符，佩金符以行。三十年正月，至安南，世子陳日燇以憂制不出郊，遣陪臣來迎，又不由陽明中門入，曾與孚回館，致書詰日燇以不廷之罪，且詰日燇當出郊迎詔，及講新朝尚右之禮，往復三書，宣布天子威德，辭直氣壯，皆孚筆也。其所贈，孚悉卻之。詳見梁曾傳中。使還，除翰林待制，兼國使院編修官。帝方欲置之要地，而廷臣以孚南人，且尚氣，頗嫉忌之，遂除建德路總管府治中，再遷治中衢州，所至多著善政。秩滿，復請為鄉郡，特授奉直大夫、台州路總管府治中。

大德七年，詔遣奉使宣撫巡行諸道。時台州旱，民饑，道殣相望，江浙行省檄浙東元帥脱歡察兒發粟賑濟，而脫歡察兒怙勢立威，不䘏民隱，驅威有司，動置重刑。孚曰：「使吾民日至莩死不救者，脫歡察兒也。」遂詣宣撫使，愬其不法蠹民事一十九條，宣撫使按實，坐其罪，命有司亟發倉賑饑，民賴以全活者眾，而孚亦以此致疾，卒於家，年六十四。

孚天材過人，性任**俠**不羈，其為詩文，大抵任意即成，不事雕斲，有文集行于世。

三五八〈良吏傳二〉（卷一九二）

耶律伯堅字壽之，桓州人。氣豪**俠**，喜與名士游。用薦舉入官，為工部主事。至元九年，轉保定路清苑縣尹。

初，安肅州苦徐水之害，訴於大司農司，大司農司欲奪水故道，導水使東。東則清苑境也，地勢不利，果導之，則清苑被其害，而水亦必反故道為災。伯堅陳其形勢，圖其利害，要大司農司官及都守行視可否，事遂得已。

縣西有塘水，溉民田甚廣，勢家據以為碨，民以失利來訴。伯堅命毀碨，決其水而注之田，許以溉田之餘月，乃得堰水置碨。仍以其事聞于省部，著為定制。

縣居南北之衝，歲為親王大官治供帳於縣西，限以十月完成，至明年復撤而新之。吏得並緣侵漁，其費不貲。伯堅命築公館，以代供帳，其弊遂絕。凡郡府賦役，於縣有重於他縣者，輒曰：「寧得罪於上，不可得罪於下。」必詣府力爭之。

在清苑四年，民親戴之如父母，比去而猶思之，立石頌其德焉。擢為恩州同知。

三五九〈釋老傳〉（卷二〇二）

（吳）全節雅好結士大夫，無所不傾其交，長者尤見親而敬，推轂善類，唯恐不盡其力。至於振窮周急，又未嘗以恩怨異其心，當時以為頗有俠氣云。全節卒，年八十有二，其徒夏文泳嗣。

《明　史》

三六〇〈食貨志〉（卷八一）

嘉靖二年，日本使宗設、宋素卿分道入貢，互爭真偽。市舶中官賴恩納素卿賄，右素卿，宗設遂大掠寧波。給事中夏言言倭患起於市舶。遂罷之。市舶既罷，日本海賈往來自如，海上姦豪與之交通，法禁無所施，轉為寇賊。二十六年，倭寇百艘久泊寧、台，數千人登岸焚劫。浙江巡撫朱紈訪知舶主皆貴官大姓，市番貨皆以虛直，轉鬻牟利，而直不時給，以是構亂。乃嚴海禁，毀餘皇，奏請鐫諭戒大姓，不報。二十八年，紈又言：「長澳諸大俠林恭等勾引夷舟作亂，而巨姦關通射利，因為嚮導，躪我海濱，宜正典刑。」部覆不允。而通番大猾，紈輒以便宜誅之。御史陳九德劾紈措置乖方，專殺啟釁。帝逮紈聽勘。紈既黜，姦徒益無所憚，外交內訌，釀成禍患。汪直、徐海、陳東、麻葉等起，而海上無寧日矣。三十五年，倭寇大掠福建、浙、直，都御史胡宗憲遣其客蔣洲、陳可願使倭宣諭。還報，倭志欲通貢市。兵部議不可，乃止。

三六一〈后妃傳二〉（卷一一四）

恭淑貴妃田氏，陝西人，後家揚州。父弘遇以女貴，官左都督，好佚遊，為輕俠。妃生而纖妍，性寡言，多才藝，侍莊烈帝於信邸。崇禎元年封禮妃，進皇貴妃。宮中有夾道，暑月駕行幸，御蓋行日中。妃命作蘧篨覆之，從者皆得休息。又易小黃門之舁輿者以宮婢。帝聞，以為知禮。嘗有過，謫別宮省愆，所生皇五子，薨於別宮，妃遂病。十五年七月薨。謚恭淑端惠靜懷皇貴妃，葬昌平天壽山，即思陵也。

三六二〈郭子興傳〉（卷一二二）

郭子興，其先曹州人。父郭公，少以日者術遊定遠，言禍福輒中。邑富人有瞽女無所歸，郭公乃娶之，家日益饒。生三子，子興其仲也。始生，郭公卜之吉。及長，任俠，喜賓客。會元政亂，子興散家資，椎牛釃酒，與壯士結納。至正十二年春，集少年數千人，襲據濠州。太祖往從之。門者疑其諜，執以告子興。子興奇太祖狀貌，解縛與語，收帳下，為十夫長，數從戰有功。子興喜，其次妻小張夫人亦指目太祖曰：「此異人也。」乃妻以所撫馬公女，是為孝慈高皇后。

三六三〈陳有定傳〉（卷一二四）

陳友定，一名有定，字安國，福清人，徙居汀之清流。世業農。為人沉勇，喜遊**俠**。鄉里皆畏服。至正中，汀州府判蔡公安至清流募民兵討賊，友定應募。公安與語，奇之，使掌所募兵，署為黃土砦巡檢。以討平諸山寨功，遷清流縣尹。陳友諒遣其將鄧克明等陷汀、邵，畧杉關。行省授友定汀州路總管禦之。戰於黃土，大捷，走克明。踰年，克明復取汀州，急攻建寧。守將完者帖木兒檄友定入援，連破賊，悉復所失郡縣。行省上其功第一，進參知政事。已，置分省於延平，以友定為平章，於是友定盡有福建八郡之地。

三六四〈顏鯨傳〉（卷二〇八）

顏鯨，字應雷，慈谿人。嘉靖三十五年進士。……。

錦衣帥受諸**俠**少金，署名校尉籍中，為民害。列侯使王府，道路驛騷。王府內官進奉，駕龍舟，所過恣橫。鯨請校尉缺從兵部補，冊封改文臣，王府進奉遣屬吏。詔冊親王及妃遣列侯，餘皆如鯨議。

三六五〈王宗沐傳〉（卷二二三）

王宗沐，字新甫，臨海人。嘉靖二十三年進士。……。

宗沐以徐、邳俗獷悍，多姦猾，濱海鹽徒出沒，六安、霍山礦賊竊發，奏設守將。又召豪俠巨室三百餘人充義勇，責令捕盜，後多以功給冠帶。

三六六〈左光斗傳〉（卷二四四）

容城孫奇逢者，節俠士也，與定興鹿正以（左）光斗有德於畿輔，倡議醵金，諸生爭應之。得金數千，謀代輸，緩其獄，而光斗與漣已同日為獄卒所斃。

三六七〈魏大中傳〉（卷二四四）

（汪）文言者，歙人。初為縣吏，智巧任術，負俠氣。于玉立遣入京刺事，輸貲為監生，用計破齊、楚、浙三黨。察東宮伴讀王安賢而知書，傾心結納，與談當世流品。光、熹之際，外廷倚劉一燝，而安居中以次行諸善政，文言交關力為多。魏忠賢既殺安，府丞邵輔忠遂劾文言，褫其監生。既出都，復逮下吏，得末減。益游公卿間，輿馬嘗填溢戶外。大學士葉向高用為內閣中書。大中及韓爌、趙南星、楊漣、左光斗與往來，頗有迹。

三六八〈王三善傳〉（卷二四九）

（王）三善倜儻負氣，多權略。家中州，好交四方奇士俠客，後輒得其用。救貴陽時，得邸報不視，曰：「吾方辦賊，奚暇及此？且朝議戰守紛紛，閱之徒亂人意。」其堅決如此。然性卞急，不能持重，竟敗。先以解圍功，加兵部右侍郎，既歿，巡按御史陸獻明請優卹，所司格不行。崇禎改元，贈兵部尚書，世廕錦衣僉事，立祠祭祀。九年冬，再敍解圍功，贈太子少保。

三六九〈陳子龍傳〉（卷二七七）

東陽諸生許都者，副使達道孫也。家富，任俠好施，陰以兵法部勒賓客子弟，思得一當。子龍嘗薦諸上官，不用，東陽令以私憾之。適義烏奸人假中貴名招兵事發，都葬母山中，會者萬人。或告監司王雄曰：「都反矣。」雄遽遣使收捕，都遂反。旬日間聚眾數萬，連陷東陽、義烏、浦江，遂逼郡城，既而引去。巡撫董象恆坐事逮，代者未至，巡按御史左光先以撫標兵，命子龍為監軍討之，稍有俘獲。而遊擊蔣若來破其犯郡之兵，都乃率餘卒三千保南砦。

三七〇〈楊文驄傳〉（卷二七七）

楊文驄，字龍友，貴陽人。浙江參政師孔子。萬曆末，舉於鄉。崇禎時，官江寧知縣。御史詹兆恒劾其貪污，奪官候訊。事未竟，福王立於南京，文驄戚馬士英當國，起兵部主事，歷員外郎、郎中，皆監軍京口。以金山踞大江中，控制南北，請築城以資守禦，從之。

文驄善書，有文藻，好交遊，干士英者多緣以進。其為人豪俠自喜，頗推獎名士，士亦以此附之。

三七一〈張家玉傳〉（卷二七八）

張家玉，字元子，東莞人。崇禎十六年進士。改庶吉士。

李自成陷京師，被執。上書自成，請旌己門為「翰林院庶吉士張先生之廬」，而褒恤范景文、周鳳翔等，隆禮劉宗周、黃道周，尊養史可程、魏學濂。自稱殷人從周，願學孔子，稱自成大順皇帝。自成怒，召之入，長揖不跪。縛午門外三日，復脅之降，怵以極刑，卒不動。自成曰：「當磔汝父母！」乃跪。時其父母在嶺南，家玉遽自屈，人咸笑之。

賊敗南歸。阮大鋮等攻家玉薦宗周、道周於賊，令收人望，集群黨。家玉遂被逮，明年，南都失守，脫歸。從唐王入福建，擢翰林侍講，監鄭彩軍。出衫關，謀復江西，解撫州之危。

順治三年，風聞大兵至，彩即奔入關，家玉走新城。大兵來攻，出戰，中矢，墮馬折臂，走入關。令以右僉都御使巡撫廣信。廣信已失，請募兵惠、潮，説降山賊數萬，將赴贛州急。會大兵克汀州，乃歸東莞。

四年，家玉與舉人韓如璜結鄉兵攻東莞城，知縣鄭霖降，乃籍前尚書李覺斯等貲以犒士。甫三日，大兵至，家玉敗走。奉表永明王，進兵部尚書。無何，大兵來襲，如璜戰死，家玉走西鄉。祖母陳、母黎、妹石寶俱赴水死，妻彭被執，不屈死，鄉人殲焉。西鄉大文豪陳文豹奉家玉取新安，襲東莞，戰赤岡。未幾，大兵大至，攻數日，家玉敗走鐵岡，文豹等皆死。

覺斯怨家玉甚，發其先壟，毀及家廟，盡滅家玉族，村市為墟。家玉過故里，號哭而去。道得眾數千，取龍門、博羅、連平、長寧，遂攻惠州，克歸善，還屯博羅。大兵來攻，家玉走龍門，復募兵萬餘人。家玉好擊劍，任**俠**，多與草澤豪士游，故所至歸附。乃分其眾為龍、虎、犀、象四營，攻據增城。

十月，大兵步騎萬餘來擊。家玉三分其兵，犄角相救，倚深谿高崖自固。大戰十日，力竭而敗，被圍數重。諸將請潰圍出，家玉歎曰：「矢盡礮裂，欲戰無具；將傷卒斃，欲戰無人。烏用徘徊不決，以頸血濺敵人手哉！」因礮拜諸將，自投野塘中以死，年三十有三。明年，永明王贈家玉少保、武英殿大學士、吏部尚書、增城侯，謚文烈。其父兆龍猶在，以子爵封之。

三七二〈王行之傳〉（卷二八五）

宋克，字仲溫，長洲人。偉軀幹，博涉書史。少任**俠**，好學劍走馬，家素饒，結客飲博。

廹壯，謝酒徒，學兵法，周流無所遇，益以氣自豪。張士誠欲羅致之，不就。性抗直，與人議論期必勝，援古切今，人莫能難也。杜門染翰，日費十紙，遂以善書名天下。時有宋廣，字昌裔，亦善草書，稱二宋。洪武初，克任鳳翔同知，卒。

三七三〈文苑傳二〉（卷二八六）

A

李夢陽，字獻吉，慶陽人。……。

夢陽既家居，益跅弛負氣，治園池，招賓客，日縱**俠**少射獵繁臺、晉丘閒，自號空同子，名震海內。宸濠反誅，御史周宣劾夢陽黨逆，被逮。大學士楊廷和、尚書林俊力救之，坐前作〈書院記〉，削籍。頃之卒。子枝，進士。

B

李濂，字川父，祥符人。舉正德八年鄉試第一，明年成進士。授沔陽知州，稍遷寧波同知，擢山西僉事。嘉靖五年以大計免歸，年纔三十有八。濂少負俊才，時從**俠**少年聯騎出城，搏獸射雉，酒酣悲歌，慨然慕信陵君、侯生之為人。一日作理情賦，友人左國璣持以示李夢陽，夢陽大嗟賞，訪之吹臺，濂自此聲馳河、雒間。既罷歸，益肆力於學，遂以古文名於時。初受知夢陽，後不屑附和。里居四十餘年，著述甚富。

三七四〈文苑傳三〉（卷二八七）

田汝成，字叔禾，錢塘人。嘉靖五年進士。授南京刑部主事，尋召改禮部。……。子藝蘅，字子蓺。十歲從父過采石，賦詩有警句。性放誕不羈，嗜酒任俠。以歲貢生為徽州訓導，罷歸。作詩有才調，為人所稱。

三七五〈忠義傳一〉（卷二八九）

A

（袁）璋，江南人。素以勇俠聞。巡撫林俊委剿賊，所在有功。後為所執，其子襲挺身救之，連殺七賊，亦被執，俱死。襲死三日，兩目猶瞠視其父。林俊表其門曰父子忠節。總制彭澤為勒石城隍廟，祀於忠孝祠。

B

葉景恩者，以俠聞，族居吳城。宸濠將作難，捕景恩，脅降之，不從，死獄中。宸濠兵過吳城，景恩弟景允以三百人邀擊賊。賊分兵焚劫景允家，其族景集、景修等四十九人皆死。

三七六〈忠義傳二〉（卷二九〇）

杜槐，字茂卿，慈谿人。倜儻任**俠**。倭寇至，縣僉其父文明為部長，令團結鄉勇。槐傷父老，以身任之，數敗倭。副使劉起安委槐守餘姚、慈谿、定海。遇倭定海之白沙，一日戰十三合，斬三十餘人，馘一酋，身被數鎗，墮馬死。

三七七〈忠義傳四〉（卷二九二）

A

（張）我正素豪**俠**，集眾保鄉里，一方賴之。十四年勒眾禦賊，馘三人。俄賊大至，眾悉奔，奮臂獨戰。賊愛其勇，欲生致之，詬罵自刎死。我德知賊至，恐妻子受辱，驅一家二十七人登樓自焚。

B

（劉）廷傳者，故布政使九光從子，任**俠**好義，亦罵賊死。九光子廷石分守西城，中賊刃未絕，口授友人方辠，令繕牘上當事，旋卒。

三七八〈隱逸傳〉（卷二九八）

徐舫，字方舟，桐廬人。幼輕俠，好擊劍、走馬、蹴踘。既而悔之，習科舉業。已，復棄去，學為歌詩。睦故多詩人，唐有方干、徐凝、李頻、施肩吾，宋有高師魯、滕元秀，號睦州詩派，舫悉取步驟之。既乃遊四方，交其名士，詩益工。行省參政蘇天爵將薦之，舫笑曰：「吾詩人耳，可羈以章紱哉。」竟避去。築室江皐，日苦吟於雲烟出沒間，倏然若與世隔，因自號滄江散人。

三七九〈列女傳〉（卷三〇二）

邵氏，丹陽大俠邵方家婢也。方子儀，令婢視之。故相徐階、高拱竝家居，方以策干階，階不用，即走謁拱，為營復相，名傾中外。萬曆初，拱罷，張居正屬巡撫張佳胤捕殺方，并逮儀。儀甫三歲，捕者以日暮未發，閉方所居宅，守之。

三八〇〈奸臣傳〉（卷三〇八）

（阮）大鋮機敏滑賊，有才藻。天啟初，由行人擢給事中，以憂歸。同邑左光斗為御史有聲，大鋮倚為重。四年春，吏部都給事中缺，大鋮次當遷，光斗招之。而趙南星、高攀龍、楊漣等以察典近，大鋮輕躁不可任，欲用魏大中。大鋮至，使補工科，大鋮心恨，陰結中璫寢推大中疏。吏部不得已，更上大鋮名，即得請。大鋮自是附魏忠賢，與霍維華、楊為垣、倪文煥為死友，造百官圖，因文煥達諸忠賢。然謂東林攻己，未一月遽請急歸。而大中掌吏科，大鋮憤甚，私謂所親曰：「我猶善歸，未知左氏何如耳。」已而楊、左諸人獄死，大鋮對客詡詡自矜。尋召為太常少卿，至都，事忠賢極謹，而陰慮其不足恃，每進謁，輒厚賄忠賢閽人，還其刺。居數月，復乞歸。忠賢既誅，大鋮函兩疏馳示維垣。其一專劾崔、魏。其一以七年合算為言，謂天啟四年以後，亂政者忠賢，而翼以呈秀，四年以前，亂政者王安，而翼以東林。傳語維垣，若時局大變，上劾崔、魏疏，脫未定，則上合算疏。會維垣方並指東林、崔、魏為邪黨，與編修倪元潞相詆，得大鋮疏，大喜，為投合算疏以自助。崇禎元年，起光祿卿。御史毛羽健劾其黨邪，罷去。明年定逆案，論贖徒為民，終莊烈帝世，廢斥十七年，鬱鬱不得志。

流寇偪皖，大鋮避居南京，頗招納遊俠為談兵說劍，覬以邊才召。無錫顧杲、吳縣楊廷樞、蕪湖沈士柱、餘姚黃宗羲、鄞縣萬泰等，皆復社中名士，方聚講南京，惡大鋮甚，作留都防亂揭逐之。大鋮懼，乃閉門謝客，獨與士英深相結。周延儒內召，大鋮輦金錢要之維揚，求湔濯。延儒曰：「吾此行，謬為東林所推。子名在逆案，可乎？」大鋮沉吟久之，曰：「瑤草何如？」瑤草，士英別字也，延儒許之。十五年六月，鳳陽總督高斗光以失五城逮治。禮部侍郎王錫袞薦士英才，延儒從中主之，遂起兵部右侍郎兼右僉都御史，總督廬、鳳等處軍務。

《清史稿》

三八一〈姚啟聖傳〉（卷二六〇）

姚啟聖，字熙止，浙江會稽人。少任**俠**自喜。明季為諸生。順治初，師定江南，遊通州，為土豪所侮，乃詣軍前乞自效。檄署通州知州，執土豪杖殺之，棄官歸。郊行，遇二卒掠女子，故與好語，奪其刀殺之，還女子其家。去附族人，籍隸鑲紅旗漢軍。舉康熙二年八旗鄉試第一，授廣東香山知縣。前政負課數萬，繫獄，啟聖牒大府，悉為代償。尋以擅開海禁，被劾奪官。

三八二〈顧八代傳〉（卷二六八）

顧八代，字文起，伊爾根覺羅氏，滿州鑲黃旗人。父顧納禪，事太宗，從伐明，次大同，攻小石城，先登，賜號「巴圖魯」，予世職牛彔章京。旋授甲喇額真。順治初，從入關，定陝西、湖南、江南、浙江，皆在行間，進三等阿達哈哈番。子顧蘇，襲，進二等。

顧八代，其次子也。任俠重義，好讀書，善射。以廕生充護軍。順治十六年，從征雲南有功，授戶部筆帖式。旋以顧蘇及子佛岳相繼卒，無嗣，顧八代襲世職，遷吏部郎中。康熙十四年，聖祖試旗員第一，擢翰林院侍讀學士。

吳三桂陷湖南，遣其將掠兩廣。鎮南將軍莽伊圖自江西下廣東，駐韶州。十六年，上命顧八代傳諭莽伊圖歸復廣西，即留軍，從征廣西。巡撫傅弘烈為三桂將吳世琮所敗，莽伊圖引兵與相合。顧八代按行諸軍，謂結營散亂，敵至慮不相應。世琮兵至，師復敗，還駐梧州。世琮來追，擊卻之。顧八代策世琮且復至，益誡備。會除夕，世琮以三萬人掩至，又擊敗之。十七年，師進次盤江，與世琮軍遇，莽伊圖病甚，以軍事屬顧八代；偕副都統勒貝等渡江，與世琮戰，分兵出敵後，破其左而合擊其右。世琮潰圍出，遣精騎追之，自殺。師進克南寧，叛將馬承廕與三桂軍合，可十萬，拒戰。諸將或難之，顧八代奮入陣，諸將皆力戰，遂破敵。

十八年，京察，掌院學士拉薩里、葉方靄以顧八代從征有績效，注上考；大學士索額圖改注「浮躁」，坐奪官。莽伊圖疏言顧八代從征三載，竭誠奮勉，運籌決勝，請留軍委署副都統，參贊軍務，上命以原銜從征。十九年，莽伊圖卒於軍，顧八代從平南大將軍賚塔下雲南，攻會城。顧八代議當先取銀錠山，俯瞰城內，攻得勢。及勇略將軍趙良棟師至，用顧八代策，先取銀錠山，克會城，雲南平。師還，授侍講學士。

二十三年，命直尚書房，累遷禮部侍郎。二十八年，授尚書。三十二年，坐事，上責其不稱職，奪官，留世職，仍直尚書房。三十七年，以病乞休。四十七年，卒。

顧八代直尚書房時，世宗從受學；及卒，貧無以殮，世宗親臨奠，為經紀其喪。雍正四年，詔復官，加太傅，予祭葬，諡文瑞，又以其貧，賜其家白金萬。八年，建賢良祠京師，諭滿州大臣當入祀者五人，大學士圖海、都統賚塔，次即顧八代，及尚書瑪爾漢、齊蘇勒。

子顧儼，襲世職，自參領官至副都統。孫顧琮，自有傳。

三八三〈張國梁傳〉（卷四〇一）

張國樑，字殿臣，廣東高要人，初名嘉祥。少材武任**俠**，為里豪所辱，毀其家，走山澤為盜，不妄殺。流入越南，後歸鎮南關。按察使勞崇光聞其名，招降，勦匪多得其力。咸豐元年，破劇賊顏品瑤，斬於陣，盡殲其黨。積功擢守備，繼隸向榮軍。二年，從解桂林圍，復全州、永興，擢都司。赴援湖南，迭破賊於醴陵、益陽、湘陰。援武昌，戰於洪山，皆為軍鋒。

三八四〈王鑫傳〉（卷四〇八）

王鑫，字璞山，湖南湘鄉人。諸生，從羅澤南學，任**俠**好奇。咸豐二年，粵匪犯長沙，上書縣令朱孫詒，請練鄉兵從澤南教練，屯馬圫埔，以團防勞敘縣丞。勦桂東土匪有功。廣東邊境匪犯興寧，率死士百人馳擊，殪賊甚多，累擢同知直隸州。

三八五〈文悌傳〉（卷四四五）

文悌，字仲恭，瓜爾佳氏人，滿州正黃旗人。……。

文悌以言官為人指使，黨庇報復，紊亂臺諫，遂上疏言：

康有爲向不相識，忽踵門求謁，送以所著書籍，閱其著作，以變法爲宗。而尤堪駭詫者，託辭孔子改制，謂孔子作《春秋》，「西狩獲麟」爲受命之符，以春秋變周爲孔子當一代王者。明似推崇孔子，實則自申其改制之義。乃知康有爲之學術，正如《漢書》嚴助所謂以《春秋》爲蘇秦縱橫者耳。及聆其談治術，則專主西學，以師法日本爲良策。如近來時務、知新等報所論，尊俠力，伸民權，興黨會，改制度，甚則欲去拜跪之禮儀，廢滿、漢之文字，平君臣之尊卑，改男女之外內。直似只須中國一變而爲外洋政教風俗，即可立致富強，而不知其勢小則群起鬪爭，立可召亂；大則各便私利，責國何難？曾以此言戒勸康有爲，乃不思省改，且更私聚數百人，在輦轂之下，立爲「保國會」，日執途人而號之曰：「中國必亡，必亡！」以致士夫惶駭，庶衆搖惑。設使四民解體，大盜生心，藉此以集聚匪徒，招誘黨羽，因而犯上作亂，未知康有爲又何以善其後？曾令其將忠君愛國合爲一事，勿徒欲保中國而置我大清於度外，康有爲亦似悔之。又曾手書御史名單一紙，欲臣倡首鼓動衆人伏闕痛哭，力請變法。當告以言官結黨爲國朝大禁，此事萬不可爲。以康有爲一人在京城任意妄爲，徧結言官，把持國事，已足駭人聽聞；而宋伯魯、楊深秀身爲臺諫，公然聯名庇黨，誣參朝廷大臣，此風何可長也！伏思國家變法，原爲整頓國事，非欲敗壞國事。譬如屋宇年久失修，自應招工依法改造，若任三五喜事之徒曳之傾倒，而曰非此不能從速，恐梁棟毀折，且將傷人。康有爲之變法，何以異是？此所以不敢已於言也。

疏上，斥回原衙門行走。

太后復訓政，賞文悌知府，旋授河南知府。二十六年，兩宮西狩，文悌迎駕，擢貴西道。乞病歸，卒。

三八六〈文苑傳一〉（卷四八四）

徐波，字元歎，吳縣人。少任**俠**。明亡後，居天池，搆落木菴，以枯禪終。詩多感喟，虞山錢謙益與之善，贈以詩，頗推重之。有謚簫堂、染香菴等集。

三八七〈文苑傳三〉（卷四八六）

林紓字琴南，號畏廬，閩縣人。光緒八年舉人。……。

生平任**俠**尚氣節，嫉惡嚴。見聞有不平，輒憤起，忠懇之誠發於至性。念德宗以英主被扼，每述及，常不勝哀痛。十謁崇陵，匍伏流涕。逢歲祭，雖風雪勿為阻。嘗蒙賜御書「貞不絕俗」額，感幸無極，誓死必表於墓，曰「清處士」。憂時傷事，一發之於詩文。

三八八〈忠義傳十〉（卷四九六）

趙翰階，字春亭，山西祁縣人。父受璧，奉天昌圖知府，有惠政。翰階隨侍邊塞，習騎射，以任俠重鄉里。拳匪之變，嘗乘垣斃其酋。增韞素與習，官浙江巡撫，令充衛隊管帶。杭垣變作，撫署被圍，率猶子趙錦標等突圍入護巡撫家屬，穴牆匿民舍。明日，聞巡撫為新軍所拘，往救之，挈錦標持手槍出，為變兵所執，曰：「我北方男子，豈畏死者！」遂與錦標同被害。

三八九〈孝義傳一〉（卷四九七）

許季覺，浙江海寧人。少尚俠，既折節讀書。居親喪，水漿不入口者七日，杖而後起。含殮、殯葬、虞祔、卒哭、祥禫皆用古禮。葬，躬負土，廬于側，朝夕哭不輟。季覺故與同縣查氏交密，查氏貴，營葬侵許氏墓地。季覺曰：「吾不能以友賣親。」訟連年不決，親朋居間，季覺終不讓。查氏誣季覺通海，逮獄，有為辨者，獄稍解，避地山陰。查氏復誣以他事，再逮獄。季覺度不免，獄中碎瓷盎吞之，死。

三九〇〈孝義傳三〉(卷四九九)

A 楊越，初名春華，字友聲，浙江山陰人。所居曰安城，因以為號。為諸生，慷慨尚**俠**。康熙初，越友有與張煌言交通者，事發，辭連越，減死，流寧古塔。例僉妻，與其妻范偕行，留老母及二子家居。寧古塔地初闢，嚴寒，民樸魯。越至，伐木構室，壘土石為炕，出餘物易菽粟。民與習，乃教之讀書，明禮教，崇退讓，躬養老撫孤。贖入官為奴者，蕭山李兼汝、蘇州書賈朱方初及黔沐氏之裔忠顯、忠禎皆廩焉。又贖明大學士朱大典孫婦，河南李天然希聲夫婦。凡貧不能舉火及婚喪，倡出貲以賙，民相助恐後。吝，則嗤之，曰：「何以見楊馬法？」馬法猶言長老，以敬越也。母終於家，年餘始聞喪，哀慟，杜門居三年。

B 鳳瑞義**俠**，好行善，歲收租穀數百石，必盡散之窮乏，數十年如一日，眾稱善人。卒，年八十有二，贈將軍。

三九一〈遺逸傳二〉(卷五〇一)

(劉)繼寧，字兑菴。少負義氣，有古**俠**士風。嘗出重金贖難女二，為之擇配。歲饑，煮粥食餓者。視周田如手足，有緩急恆資之，周田亦弗謝也。晚年為子擇師遊盤山，踪跡孔昭，得之。邀至其家，令其三子從受業。暇則與周田聚讌歌呼以為樂，然每一念母，雖深夜必馳歸，弗能禁也。晚好陶詩，因又自號潛翁。一日，為門人講孟子盡心章，曰：「此傳心法也！」言訖而卒。其弟子私謚曰安節先生。

三九二〈藝術傳一〉（卷五〇二）

高斗魁，字旦中，又號鼓峯，浙江鄞縣人。諸生。兄斗樞，明季死國難。斗魁任俠，於遺民罹難者，破產營救。妻因事連及，勒自裁。素精醫，遊杭，見舁棺者血瀝地，曰：「是未死！」啟棺，與藥而甦。江湖間傳其事，求治病者無寧晷。著醫學心法；又吹毛編，則自記醫案也。其論醫宗旨，亦近於張介賓。

三九三〈藝術傳四〉（卷五〇五）

A

王來咸，字征南，浙江鄞縣人。先世居奉化，自祖父居鄞，至來咸徙同嶴，從同里單思南受內家拳法。內家者，起於宋武當道士張三峯，其法以靜制動，應手即仆，與少林之主於搏人者異，故別於少林為外家。其後流傳於秦、晉間，至明中葉，王宗岳為最著，溫州、陳州同受之，遂流傳於温州。嘉靖間，張松溪最著，松溪之徒三四人，寧波葉繼美為魁，遂流傳於寧波。得繼美之傳者，曰吳崑山、周雲泉、陳貞石、孫繼槎及思南，各有授受。思南從征關白，歸老於家，以術教，頗惜其精微。來咸從樓上穴板窺之，得其梗概。以銀巵易美檟奉思南，使盡以不傳者傳之。

來咸為人機警，不露圭角，非遇甚困不發。凡搏人皆以其穴，死穴、暈穴、啞穴，一切如銅人圖法。有惡少侮之，為所擊，數日不溺，謝過，乃得如故。牧童竊學其法，擊伴侶，立死。視之，曰：「此暈穴。」不久果甦。任俠，嘗為人報讎，有致金以讎其弟者，絕之，曰：「此以禽獸待我也！」明末，嘗入伍為把總，從錢肅樂起兵浙東，事敗，隱居於家。慕其藝者，多通殷勤，皆不顧。鋤地擔糞，安於食貧。未嘗讀書，與士大夫談論蘊藉，不知為麤人。黃宗羲與之游，同入天童，僧少欻有膂力，四五人不能掣其手，稍近來咸，蹶然負痛。來咸嘗曰：「今人以內家無可炫耀，於是以外家羼之，此學行衰矣！」因為宗羲論述其學源流。康熙八年，卒，年五十三。宗羲子百家從之學，演其說為內家拳法一卷，百家後無所傳焉。

清中葉，河北有太極拳，云其法出於山西王宗岳，其法式論解，與百家之言相出入。至清末，傳習者頗眾云。

B

甘鳳池，江南江寧人。少以勇聞。康熙中，客京師貴邸。力士張大義者慕其名，自濟南來見。酒酣，命與鳳池角，鳳池辭，固強之。大義身長八尺餘，脛力強大，以鐵拇，騰躍若風雨之驟至。鳳池卻立倚柱，俟其來，承其手，血滿韡，解視，拇盡嵌鐵中。即墨馬玉麟，長軀大腹，以帛約身，緣牆升木，捷於猱。客揚州巨賈家，鳳池後至，居其上。玉麟不平，與角技，終日無勝負。鳳池曰：「此勁敵，非張大義比！」明日又角，數蹈其瑕，玉麟直前擒鳳池，以駢指卻之，玉麟仆地，慚遁。鳳池嘗語人曰：「吾力不逾中人，善藉其力以制之耳。」手能破堅，握鉛錫化為水。又善導引術，同里譚氏子病瘵，醫不效，鳳池於靜室窒牖户，夜與合背坐，四十九日而痊。

喜任俠，接人和易，見者不知為賁、育。雍正中，浙江總督李衛捕治江寧顧雲如邪術不軌獄，株連百數十人，鳳池亦被逮，讞擬大辟。世宗於此獄從寬，未盡駢誅。或云鳳池年八十餘，終於家。江湖間流傳其佚事多荒誕，著其可信者。

俠客人名索引

說明：本索引依俠客姓氏首字筆劃序次排列，名氏後的數字，爲俠客出現的條目號碼；各俠客名間偶有以括弧標示的，爲俠客之異名或補充說明。

五劃

六劃

七劃

八劃

九劃

十劃

十一劃

十二劃

十三劃

十四劃

十五劃

十六劃

十七劃

十八劃

十九劃

廿劃

廿一劃

廿二劃

廿三劃

俠客詞條索引

說明：本索引擷取書中所有「俠」字的成詞編成，以性質相似者歸類，先名詞，如單一之俠，「以俠聞」、「大俠」等；次則以動詞連及俠字者，如「好俠」、「任俠」等；最後則是形容詞，如「兇俠」、「狂俠」等。各詞條後之數目，爲其出現之條目號碼。總計共出現四七五次，其中「任俠」一二九次，占百分之二七．一六；其次是「豪俠」，出現七二次，占百分之一五．一六；再次是「輕俠」，五〇次，占百分之一〇．三五；又次是「游（遊）俠」，四〇次，占百分之八．四二；「氣俠」二二次、「俠氣」十八次，其它皆在十次以下，此其大要也。

國家圖書館出版品預行編目資料

廿四史俠客資料匯編

龔鵬程、林保淳編. – 初版. – 臺北市：臺灣學生，1995
面；公分
含索引

ISBN 978-957-15-0688-3(平裝)

1. 中國 – 歷史

610.4 84009692

廿四史俠客資料匯編

編者	龔鵬程、林保淳
出版者	臺灣學生書局有限公司
發行人	楊雲龍
發行所	臺灣學生書局有限公司
地址	臺北市和平東路一段 75 巷 11 號
劃撥帳號	00024668
電話	(02)23928185
傳真	(02)23928105
E-mail	student.book@msa.hinet.net
網址	www.studentbook.com.tw
登記證字號	行政院新聞局局版北市業字第玖捌壹號
定價	新臺幣四〇〇元

一九九五年九月初版
二〇二一年八月初版二刷

61007

ISBN 978-957-15-0688-3 (平裝)